شهری میان تاریکی

شهری میان تاریکی

(رمان)

هورناز هنرور

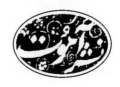

سرشناسه	: هنرور، هورناز، ۱۳۵۵ـ
عنوان و نام پدیدآور	: شهری میان تاریکی (رمان)/ هورناز هنرور.
مشخصات نشر	: تهران: آموت، ۱۳۹۰.
مشخصات ظاهری	: ۲۴۰ ص.
شابک	: ۹۷۸ـ۶۰۰ـ۵۹۴۱ـ۶۱ـ۶
موضوع	: داستان‌های فارسی ــ قرن ۱۴
رده‌بندی کنگره	: ۱۳۹۰ ۹ ش ۴۷ ن / ۸۳۲۱ PIR
رده‌بندی دیویی	: ۸فا۳/۶۲
شمارهٔ کتابشناسی ملی	: ۲۴۳۵۷۴۱

شهری میان تاریکی

(رمان)

هورناز هنرور
ویراستار: بهنام ناصح
چاپ اول: بهار ۱۳۹۱
شمارگان: ۱۶۵۰ نسخه
حروفچینی: شهیر
لیتوگرافی و چاپ: ترانه

نشر آموت
تلفن: ۸۸۸۲۷۱۴۰ـ ۰۹۳۶۰۳۵۵۴۰۱
پست الکترونیکی: aamout@gmail.com
وب سایت: www.aamout.com

شابک: ۹۷۸ـ۶۰۰ـ۵۹۴۱ـ۶۱ـ۶ 978 - 600 - 5941 - 61 - 6

فهرست

زندگی آن‌قدرها هم سخت نیست. به سادگی پرش از یک جوی آب است. کافی است به آن طرف جوی نگاه کنیم و قدمی به بلندی آن برداریم.

زندگی مانند رنگ‌هاست. همه جور رنگی در آن هست. اما سیاه، نه! سیاهی مانند تاریک، نشانه‌ای از نبودن است. جایی که سیاهی هست، زندگی نیست. رنگی نیست.

فصل اول

از آن روزهایی بود که پریناز تصمیم گرفته بود و یا سعی می‌کرد به زیبایی‌ها نگاه کند؛ به صدای جوی آب گوش کند، نگاهش را روی پر زدن پرنده‌ها بچرخاند و رنگ آبی آسمان را مجسم کند.

چشم‌هایش را بست؛ صدای باد، صدای کشیدن چرخ دستی روی برگ‌های پاییزی، صدای ترمز ماشین‌ها... از پشت سر، کسی صدایش زد. «پریناز!» برگشت. نغمه هم باشگاهی‌اش بود. پریناز سری تکان داد و گفت: «سلام.» نغمه نفس‌زنان خودش را به پریناز رساند. «سلام، چی شده زود اومدی؟»

«دیشب زود خوابیدم.» جمله‌اش را با بی‌حوصلگی تمام کرد. هنوز هم دلش می‌خواست چشم‌هایش را می‌بست و تصویرهای ذهنیش را مرور می‌کرد.

«چیکار می‌کنی؟» پریناز سرش را چرخاند و زل زد توی چشم‌های نغمه و گفت «کار دیگه!»

نغمه که جا خورده بود، سرش را پایین انداخت و دیگر چیزی نگفت.

وارد باشگاه که شدند، پریناز زیر لب گفت: «خیلی هم زود نیومدم.»

و نگاهش را روی هم‌باشگاهی‌هایش چرخاند. عده‌ای دور هم جمع شده بودند و صدای خنده‌شان توی فضا پیچیده بود.

نغمه از پریناز فاصله گرفت و به طرف ناتاشا رفت. ناتاشا با عشوه سرش را می‌چرخاند و لبخندی تحویل این و آن می‌داد. ناتاشا با طعنه سلام کرد و نغمه با دلخوری جواب داد.

«امروز چه روز گندیه.»

ناتاشا لب‌هایش را کج کرد و سرش را نزدیک نغمه برد. «به تو یکی نمی‌آد روزات گند باشه.»

«واسه چی؟»

«نمی‌آد دیگه! دیدم با پریناز اومدی.»

«نه بابا، دم باشگاه دیدمش.» جمله‌اش را با آهی تمام کرد.

«نکنه از پریناز ناراحتی؟ نامزدتو قر زده؟»

«چی؟ نه! این؟» با چشم‌هایش پریناز را دنبال کرد.

«اصلاً مگه ناتاشا مرده که بری سراغ پریناز. نگاهش کن چه لباس صورتی هم پوشیده. فکر می‌کنی اصلاً لباس آدمی‌زادی داره؟!»

مربی با صدای بلند گفت: «بدو بدو. نبینم کسی وایساده‌ها.»

شهرزاد جلوی آینه ایستاده بود و بازوهایش را نگاه می‌کرد. نسرین از پشت به او نزدیک شد و در حالی که شکمش را با انگشت به شهرزاد نشان می‌داد گفت: «از این که بدتر نیست.» شهرزاد پوزخندی زد، نسرین هم خندید و ادامه داد: «اگه شوهر نبود آدم خوشگلی رو می‌خواست واسه چی؟»

شهرزاد سرش را تکان داد: «چی؟ خوشگلی؟ خیلی وقته که بهش

فکر نکردم.»

«من که می‌خوام شکمم رو عمل کنم. شوهره دیگه، باید راضیش کرد.» شهرزاد سری تکان داد و جوابی نداد.

پریناز کنار آینه نزدیک آن دو ایستاد. سرش را کج کرد. توی آینه لبخندی زد و به آرامی دور شد.

شهرزاد با تأسف گفت: «خوش به حالش. انگار روی ابر راه می‌ره. نمی‌دونم واسه چی می‌آد باشگاه.»

نسرین سرش را به گوش‌های شهرزاد نزدیک کرد و گفت: «واسه این که شوهر کنه. بیست و شش سالشه. هنوز ازدواج نکرده. با این قد و هیکل نمی‌دونم واسه چی؟»

«یعنی چی؟»

«یعنی این که هر روز با یکی می‌گرده. انگاری زود به همه راه می‌ده. مردا رو که می‌شناسی، تا خواستشون برآورده بشه، دیگه نمی‌خوانت.»

«همه هم این‌طوری نیستن.»

«منظورم شوهرای خودمون که نیست.»

«منم منظورم شوهرای خودمون نبود.»

نسرین بی‌توجه به پاسخ شهرزاد حرفش را تکمیل کرد. «اگه زنش باشی موضوع فرق می‌کنه. این مال قبل ازدواجه.»

«پس این مردایی که بعد از ازدواج چشمشون دنبال این و اونه چطور؟»

«اونارو ول کن.» شهرزاد ساکت شد. ابروهایش در هم گره‌خورد. مربی داد زد. «آهای با شمام. اومدین چربی آب کنین یا توشه آخرت

جمع کنین. یالّا یالا جُم بخورین دیگه.»

صدای آهنگ را تا جایی که ممکن بود برد بالا. «حالا با من همگی، یک دو سه چهار، یک. یک دو سه چهار، دو...»

گلچهره کنار نغمه ایستاده بود و همراه مربی شماره‌ها را تکرار می‌کرد تازه سی و سه سالش تمام شده بود، اما با نغمه که ده سالی از او کوچک‌تر بود همسن و سال به نظر می‌رسید. نغمه گاهی زیر چشمی نگاهی به گلچهره می‌انداخت و گاهی که نگاهشان با هم تلاقی می‌کرد، لبخندی رد و بدل می‌کردند.

تمرین که تمام شد، گلچهره به طرف نغمه رفت. «چه خبر؟ کی شیرینیت رو می‌خوریم بالاخره؟»

«حالا هنوز وقت هست. تو چی؟ بالاخره چه کار کردی؟ هنوز وقت داری واسه ادامه تحصیل بری یا نه؟»

گلچهره با نارضایتی گفت: «راستش حمید این دست و اون دست می‌کنه.»

«چرا؟»

«می‌گه نمی‌تونه کارش رو ول کنه و بره جایی که نمی‌دونه کاری گیرش می‌آد یا نه.»

نغمه شانه‌هایش را بالا انداخت.

گلچهره پرسید: «ماشین نداری، برسونمت؟»

«نه مرسی می‌خوام یه ذره پیاده‌روی کنم.»

دست‌هایش را تکان داد و از او فاصله گرفت. «باشه می‌بینمت.»

ناتاشا کنار خیابان ایستاده بود و ساعتش را نگاه می‌کرد. نغمه از در

کلاس بیرون آمد. دستش را برای ناتاشا تکان داد. ناتاشا سری تکان داد و چشمک زد. ماشین سبز رنگی جلوی ناتاشا بوق زد. دم پنجره ماشین رفت. نغمه چرخید و به راهش ادامه داد. شهرزاد کمی جلوتر از او دست‌هایش را توی جیب بادگیرش کرده بود و تند تند قدم بر می‌داشت. قدم‌هایش را تندتر کرد و خودش را به او رساند. شهرزاد سر کج کرد و لبخندی زد. نغمه هم لبخند زد و گفت: «چقدر پریناز رو می‌شناسی؟»

شهرزاد با دهان نیمه باز نگاهش کرد. «چطور؟»

«هیچی همین‌طوری.»

«راستش من در موردش هیچی نمی‌دونم. اما یه چیزایی شنیدم.»

«چی رو؟»

«همین که میگن هر روز با یکیه!»

نغمه دست‌هایش را توی هم گره کرد «راستش، دو سه دفعه خودم دیدم سوار ماشینای جورواجور شد.»

ابروهای شهرزاد در هم گره خورد. انگار یاد چیزی افتاده باشد. چیزی نگفت.

گونه‌های نغمه سرخ شد.

«هوا گرم شده انگار.»

شهرزاد با ابروهای گره کرده بحث آب و هوا را پیش کشید. سر کوچه از هم جدا شدند.

شهرزاد، پریناز را دید که در کوچه فرعی سوار ماشینی شد. نگاهی به ساعتش انداخت و قدم‌هایش را سریع‌تر کرد.

زندگی مثل کوچه‌ها پر از خانه‌ها و خاطره‌هاست؛ گاه آرام است، گاه شلوغ و پر هیاهو و گاهی هم پاییزی می‌شود. توی این کوچه‌ها می‌توانی تولدها و شادی‌ها را به خاطر بسپاری و یا مریضی‌ها و دردها را بشماری. آنچه هست، این ذهن ماست که تصمیم می‌گیرد زندگی را چگونه معنا کند. هیچ‌کس نمی‌داند آیا این اتفاقات است که ما را در مسیر زندگی به پیش می‌رانند و یا این تفکر ماست که اتفاقات را می‌سازد؟! اما هر اتفاقی در همه ذهن‌ها، یک معنای واحد ندارند؛ مانند رنگ‌ها و تعابیر متفاوتی که در ذهن ایجاد می‌کنند.

فصل دوم

شهرزاد تا به خانه برسد به پریناز فکر کرد و به ماشینی که سوارش شده بود. کوچه لبریز از برگ بود؛ انگار تمام درخت‌ها به یکباره هر چه برگ داشتند روی زمین خالی کرده بودند.

به سنگ‌های سیاه خانه‌شان چشم دوخت و سرش را به طرف پنجره آپارتمانشان چرخاند. دستش را توی کیفش فرو برد و به دنبال کلید گشت. سرش پر بود از فکرهای مختلف.

به این که کسی آدم را جایی غافلگیر کند، فکر کرد. همه آدم‌ها چیزی برای مخفی کردن دارند؛ چیزی که نمی‌خواهند کسی بداند حتی اگر به نظر دیگران بی‌اهمیت باشد. چه می‌شد اگر نمی‌توانستی چیزی را مخفی کنی؟ شاید اگر از ابتدا این‌طور بود، مشکلی پیش نمی‌آمد و کسی، دیگر از کاری احساس شرم نمی‌کرد.

از راه پله آرام بالا رفت. پله‌ها را شمرد؛ شصت تا، مثل هر روز. در آپارتمان را باز کرد. بوی گل‌های مریمی که دیروز خریده بود اتاق را پر کرده بود. نفسش را پر کرد از عطر مریم. چراغ پیام‌گیر تلفن چشمک می‌زد. لیوانی آب پر کرد و سر کشید. دکمه پیام‌گیر را فشار داد.

پرده‌های آشپزخانه را کنار زد. صدای مسعود پیچید توی گوشش.

«سلام شهرزاد خانوم. من امشب می‌رسم. اگه چیزی لازم داشتی بهم زنگ بزن. راستی اگه موبایلم خاموش بود یعنی شارژ تموم کردم، خودم بهت زنگ می‌زنم.» به ساختمان روبه‌رو چشم دوخت. دست‌هایش را روی شقیقه‌اش فشار داد... . «سلام شهرزاد، الهامم، فردا دوره رو فراموش نکنی. منتظرتیم.»

شهرزاد پیش از آن که وارد حمام شود، برگشت، گوشی تلفن را برداشت و شماره گرفت. «سلام... مرسی تو چطوری؟... آره همین الان رسیدم... نه امشب مسعود می‌آدش... خوب الان اگه می‌تونی پاشو بیا... آره من فقط یه دوش می‌گیرم... آره تنهام... نه پویا که مدرسه است... پس منتظرما.»

نیم ساعت بعد الهام زنگ خانه را به صدا درآورد. مانتوی کوتاه مشکی تن کرده بود و شال خاکستری‌اش را دور گردنش پیچانده بود. در که باز شد، نفس عمیقی کشید. «به به چه بوی گلی می‌آد.»

«دیروز از یه بچه خریدم.» الهام به طرف گل‌های مریم رفت و سرش را فرو کرد میانِ گل‌ها و چند نفس عمیق کشید. «این موقع سال چه مریمی!» «گلخونه‌ایه دیگه.» شهرزاد خم شد به طرف الهام. «بوست نکردم.»

الهام دست‌هایش را باز کرد و شهرزاد را بغل کرد. شهرزاد گفت: «اگه کسی این جا بود فکر می‌کرد کلی وقته همدیگرو ندیدیم.»

«خوب ندیدیم دیگه.» خندیدند. شهرزاد به آشپزخانه رفت. الهام مانتویش را درآورد و انداخت روی صندلی.

«می‌دونم این جا راحت‌تری.»

الهام قهقهه‌ای زد. «حالا یه چرخ بزن ببینم از هفته پیش چقدر وزن کم کردی.»

شهرزاد دستش را به پهلوهای الهام زد. «برو تو هم. هر وقت می‌آی که من نباید وزن کم کنم.»

الهام دست‌های شهرزاد را گرفت توی دستش و خندید. «اوهو، پس چی؟ همین‌طوری الکی پول مسعود رو حیف و میل می‌کنی.»

شهرزاد دست‌هایش را از دست الهام بیرون کشید و ابروهایش را بالا انداخت. «گم شو تو هم. واسه من طرفداری می‌کنه. اصلاً اگه مسعود این‌قدر اصرار نداشت که من پا نمی‌شدم کله سحر برم باشگاه.»

«حالا از کی تا حالا ساعت هشت صبح شده کله سحر؟!»

«از وقتی که فضول رو بردن جهنم.»

«ماشاءا... چشم‌نخوری اینقده با نمکی.»

شهرزاد خودش را کمی کج‌وکوله کرد و شکلک در آورد. «حالا شازده‌تون واقعاً امشب می‌آد.»

«آره دیگه!» قیافه شهرزاد درهم رفت، دست‌هایش را آرام چرخاند و صندلی را عقب کشید. خودش را انداخت روی صندلی. «کلی برنامه ریخته بودم واسه آخر هفته.»

«خُب مسعود رو هم تو برنامه‌ات جا بده.»

«نمی‌شه همش کارای شخصیه.»

«پویارو چیکارش می‌خواستی بکنی؟»

«خونه مامان اینا.»

«آها خوب مسعودم بذار خونه مامانش اینا.» الهام از حرف خودش

ریز ریز خندید.

«نمی‌شه دیگه. مسعود که بیاد؛ بیست و چهار ساعت باهام کار داره. اصلاً نمی‌ذاره یه دقیقه از پیشش جُم بخورم.»

الهام یکی از ابروهایش را بالا انداخت و چشم‌هایش را تنگ کرد. «واه واه مردم عجب شانسی دارن. نمی‌دونم این مسعود عاشق چیت شده؟!»

«مسخره بازی رو بذار کنار. از خودت بگو ببینم. از مرجان چه خبر؟ بالاخره پسره اومد خواستگاریش یا نه؟»

«نه بابا. من که گفتم نمی‌آد. اصلاً اگه کسی آدم رو بخواد که این قدر صغری کبری نمی‌چینه.»

شهرزاد بلند شد و در حالی که از یخچال میوه در می‌آورد، گفت: «مگه شش ـ هفت ساله با هم نیستن؟»

الهام بدون این که جواب شهرزاد را بدهد، تشر زد. «ای بابا. اگه بازم مهمون بازی درآری دیگه نمیاما.»

شهرزاد چند تا میوه توی بشقاب، روی میز گذاشت. «حالا نه که خیلی هم ازت پذیرایی کردم تا حالا.»

الهام موزی برداشت. «آخه من پر روام دیگه.»

«داشتی می‌گفتی.»

«پسره اولش خیلی آتیشی بود. این دختره خل‌وچلم باورش شد که پسره عاشقشه. راستش خودش آتیشش تندتر بود. من نمی‌دونم تو چطوری با مرجان همسایه بودی. چند سالی طبقه بالای شما می‌نشستن باید اخلاقش دستت اومده باشه.»

«چند سال نبود و دو سال بود. مرجان اون موقع پنج شش سالی از من کوچک‌تر بود. من داشتم دبیرستان رو تموم می‌کردم و اون تازه توی راهنمایی درس می‌خوند. خوب حالا بالاخره چی شد؟ مگه قرار نشد بله‌برونش باشه؟»

«آخه خودمونیم کی از آدمی که به این آسونی دم به تله می‌ده خوشش می‌آد؟»

«من که می‌گم عشقی در کار نبوده.»

«خوب اینم هست. اصلاً کی می‌تونه تشخیص بده که یکی واقعاً عاشق شده یا نه؟!»

«من می‌تونم تشخیص بدم.»

«جدی؟ به منم یاد بده تا یاد بگیرم.»

«تشخیصش خیلی راحته. باید ببینی یکی تورو برای چی می‌خواد؟ خواسته‌اش در مورد تو چیه.اگه کسی برات ارزش قائل شد، اون‌وقت می‌تونی بگی دوستت داره.»

«برو بابا کی این روزا واسه کسی تره خرد می‌کنه. همه مردا فکرشون اینه که چند تا زن می‌تونن بگیرن. مگه نمی‌بینی این همه خودشون رو به آب و آتیش می‌زنن ازدواج مجدد رو قانونی کنن.»

«خوبه؛ بسه نمی‌خواد تو دیگه برای ما سیاسی بشی.»

«نگاش کن انگار ننه‌اش مرده، که چی؟ امشب مسعود می‌آد. همین که نون و آبت جوره دیگه شوهره رو نمی‌خوای.»

«حالا می‌شه بگی قانون زن دوم چه ربطی به مسعود داره؟»

«می‌خوام بگم همش تقصیر خودمونه. هر چی سرمون میارن

صدامون در نمی‌آد. خودمون نمی‌خوایم خوب زندگی کنیم. اما مردا به خودشون فکر می‌کنن. فکر آسایش خودشونن و دلشون برای من و تو نسوخته. زور بگو فرمانروایی کن.»

شهرزاد خودش را روی صندلی تکان داد. «اصلاً برابری باید باشه. زنم باید مثل مرد امکان این که...» صدای شهرزاد قطع شد.

سرش را جلو آورد و با چشم‌های گرد شده زل زد به شهرزاد. شهرزاد خانم انگار پاک قاطی کردیا.

«بریم سر یه موضوع دیگه. این رو بهت بگم الهام جون، شوهر همچی چنگی به دل نمی‌زنه. می‌گی نه، برو شوهر کن؛ ببین چی بهت گفتم. اونوقت یادم کن و برام فاتحه بخون.»

«فاتحه چرا؟ مگه قراره به رحمت خدا بری انشاءا...؟»

«خدارو چی دیدی. شایدم.» شهرزاد خندید. الهام بلندتر خندید. «چیه خوشت اومد. منتظر بودی انگار. نکنه ارث و میراثی بهت می‌رسه این‌طوری ذوق کردی.»

«همچین.»

«خوب؟!»

«هیچی میام تو حلواخوریت. خوشگل می‌کنم دل مسعود رو می‌برم.»

«دمت گرم الهام حداقل صبر کن کفنم خشک بشه.»

«نه بابا دیر بجنبیم رو هوا زدنش.»

«یعنی میگی این‌قدر تحفه است.»

«پس که چی؟ خوش تیپ نیست؟ که هست. عاشق پیشه نیست؟ که

هست. دست و دلباز نیست که هست. بعدش مثل خورشید قطب می‌مونه. شش ماه به شش ماه میره پیداش نمی‌شه.»

شهرزاد از خنده ریسه رفت. «خدا بگم چکارت نکنه الهام من رو از خنده کُشتی. باید کمدین می‌شدی.»

«حالا گذشته از شوخی، شوهر موهر گیر نمی‌آد که شهرزاد خانم. فکر کردی واسه چیه هر ننه قمری می‌آد خواستگاری دختری، سریع می‌دنش بره. مادر ما اینکارا رو نکرد منو دو تا خواهرام رو دستش موندیم. خدا رو شکر کن شوهرت تَکه.»

«این رو نگاه کن. می‌خوای خودم رضایت بدم بشی زن مسعود.»

«بیا اینم یه نمونه از زن‌های خل‌وچل. دستی‌دستی می‌خوای خودت رو بدبخت کنی.»

«چیه مگه بده؟ از صبح تا شب می‌گیم و می‌خندیم و شش ماه یکبار هم شوهر می‌آد پول می‌ده و می‌ره.»

«اگه تو خوشت می‌آد من یکی خوشم نمی‌آد. بیچاره مسعود حق داره می‌ره شش ماه شش ماه نمی‌آد. اصلاً براش مهم نیست شوهره بره زن بگیره. خوب اینم نمونه یک زنِ نازن.» الهام پشت چشمی نازک کرد. «هنوز خواستگارا پشت در خونه‌مون صف می‌بندن.»

شهرزاد نگاهی به ساعتش انداخت. «الاناست که پویا از راه برسه.»

الهام بلند شد. روسری و مانتویش را برداشت.

«چیه خانم شال و کلاه می‌کنی؟»

«برم دیگه پویا می‌آد. بعد لابد می‌خواین ناهار بخورین دیگه.»

«خوب تو هم ناهار می‌خوری.»

«نه ممنون کلی کار ریخته سرم اون‌قدر زیاده که نمی‌دونم از کجا شروع کنم. دیگه همین فردا، پس فرداست که صاحب کارم زنگ بزنه سراغ بروشوراش رو بگیره.»

شهرزاد لبخندی زد. «باشه پس بازم بین کارات سر بهمون بزن.»

«حالا که مسعود می‌آد و چند روزی می‌مونه مثل همیشه. پس تا بعد از اون انشاءا...»

«به بچه‌ها هم سلام برسون. بگو دوره بعدی اگه خدا خواست همدیگر و می‌بینیم.»

الهام شالش را انداخت دور گردنش. از در که بیرون می رفت صدای سرویس پویا آمد. شهرزاد دکمه اف اف را زد.

صدای پای پویا که با عجله پله‌ها را بالا می‌آمد توی راهرو پیچید.

«سلام خاله!»

«سلام خاله جون!»

بعد دوباره صدای پای پویا که بالا می‌آمد. «ببخشید خاله یه کار واجب دارم خداحافظ.» صدای خنده الهام آمد.

پویا با سر شیرجه زد داخل خانه. «پویا کفشات!» پویا به سرعت کفش‌هایش را درآورد و دوید.

شهرزاد صدایش را بلند کرد تا پویا بشنود. «چند بار بهت گفتم خودت رو نگه‌ندار. مریض می‌شی‌ها.»

پویا بلند جواب داد: «تقصیر معلممونه هر چی بهش گفتم اجازه می‌شه برم بیرون گفت نه! بعدشم ترسیدم از سرویس جا بمونم.»

شهرزاد رفت سراغ یخچال و ظرف غذا را گذاشت روی گاز. پویا

که بیرون آمد با عجله دست‌هایش را شست و نشست پشت میز آشپزخانه.

«راستی پویا بابا امشب می‌آد.»

پویا خوشحال از جا پرید. «آخ جون، کلی سوغاتی.» شهرزاد نگاهی به پویا انداخت. کپی برابر با اصل خودش بود با این تفاوت که چون پسر بود خیلی بهتر به نظر می‌رسید؛ با این که قدش بلند شده بود اما کمی تپل بود و صورتش به قد و قواره‌اش نمی‌آمد، موهای مشکی‌اش ریخته بود توی صورتش، چشم‌هایش با آدم حرف می‌زد وقتی به چشم‌های آدم زل می‌زد، به نظر می‌رسید به چیز بزرگی فکر می‌کند. با صدای بچه‌گانه‌اش دل شهرزاد غنج می‌رفت. «مامان فکر می‌کنی بابا چند روز بمونه؟»

«نمی‌دونم مامان جان.»

«خدا کنه سوغاتی اسباب بازی بیاره.»

«خسته نشدی از این همه اسباب بازی؟»

پویا گفت: «نچ!»

«نچ چیه عزیزم. نه!»

«فرقش چیه. هر دوشون یه معنی می‌ده. تازه من وقتی به حرف زدن شما گوش می‌دم، کلی غلط حرف می‌زنی. خوب منم از شما یاد گرفتم دیگه.»

شهرزاد ابروهایش را درهم کرد. «من غلط حرف می‌زنم؟»

پویا سری تکان داد و به طرف بشقاب غذایی که شهرزاد جلویش گذاشت حمله کرد.

«یواش مامان جان دل درد میگیری‌ها.»

پویا نفس بلندی کشید. «اه مامان!»

پویا که به اتاقش رفت، تا عصر رمان «بادبادک باز» را که الهام به مناسبت روز زن به او هدیه داده بود، خواند. قیافه‌اش شده بود، مثل جن‌زده‌ها. چشم‌هایش قرمز شد و باد کرد. طرف‌های عصر خوابش برد. با صدای پویا از خواب پرید جوری که انگار روح دیده باشد، فریاد کشید. پویا که بالای سرش ایستاده بود، با جیغ شهرزاد جیغ بلندتری کشید. وقتی به خودش آمد، پویا را که بهت زده نگاهش می‌کرد بغل کرد. «ببخشید پسرم. چی شده؟»

«من فقط می‌خواستم بگم تا بابا نیومده دیکته‌م رو می‌گی؟»

شهرزاد چشم‌هایش را با دست مالش داد. «آره برو کتابت رو بیار همین‌جا.» پویا که هنوز بدنش می‌لرزید از اتاق بیرون رفت.

یک ساعت بعد کلید در قفل در چرخید و مسعود پاهایش را داخل خانه گذاشت. پویا از جایش پرید و به طرف در دوید. شهرزاد جلوی آینه ایستاده بود و موهایش را شانه می‌کرد. صدای جیغ پویا که برای مسعود حرف می‌زد، خانه را پر کرده بود. مسعود با شور و هیجان با پویا حرف می‌زد. هر کدام از سوغاتی‌ها را که نشانش می‌داد، پویا جیغ می‌کشید. شهرزاد در چارچوب در ایستاد. مسعود سرش را بلند کرد. شهرزاد را که دید لبخندی زد و سلام کرد. شهرزاد هم جوابش را داد. چهره مسعود خسته بود و زیر چشم‌هایش گود افتاده بود. اما چنان خنده روی لب‌هایش نشسته بود که خستگی چشم‌هایش را می‌پوشاند.

همیشه وقتی مسعود به خانه برمی‌گشت، همه در حال خندیدن

سقف تکان می‌خوردند. برگشت به طرف شهرزاد. شهرزاد نفس‌های مسعود را روی گردنش احساس کرد. «خیلی خسته‌ام، شب بخیر.»

مسعود چرخید. «شب بخیر.» صدای نفس‌های مسعود تا وقتی خوابش برد، توی گوشش بود.

از لای پرده، نوارهای نور افتاده بود روی صورت شهرزاد. چشم‌هایش را نیمه باز کرد و سر چرخاند. چقدر خوابیده بود. از جایش پرید و سراسیمه از اتاق بیرون آمد. مسعود داشت توی استکان چای می‌ریخت. «سلام خانم خانما!»

شهرزاد سلام کرد و نگاهش به طرف اتاق پویا چرخید. مسعود همان‌طور که مشغول ریختن چایی بود گفت: «رفت مدرسه.»

«چرا بیدارم نکردی؟ چرا ساعت زنگ نزد؟»

«انگار خیلی خسته بودی. ساعت رو خاموش کردم و پویا را بیدار کردم.»

شهرزاد نشست روی صندلی. مسعود همه چیز را آماده کرده بود. حتی نان سنگک تازه‌ای هم روی میز بود. «یعنی این‌قدر خسته بودم که نفهمیدم تو رفتی بیرون و برگشتی.»

مسعود لبخندی زد. «این‌طوری پیداست.» مسعود لقمه گرفت و داد دست شهرزاد.

«بچه‌ام صبحانه خورد؟»

«صبحانه کامل. به موقع هم سوار سرویس شد.» شهرزاد لقمه را در دهانش گذاشت و چایی را سر کشید. چایی داغ بود. آخ بلندی گفت. مسعود از جایش پرید. دست‌هایش را روی شانه‌های شهرزاد که به

جلو خم شده بود، گذاشت.

«حواست کجاست دختر؟»

«چیزی نشد.»

«زیاد سر حال نیستی ببرمت دکتر؟»

«چیزی نیست. چند تا از برنامه‌هام بهم‌خوردن، داشتم به اونا فکر می‌کردم.»

«بجاش می‌ریم با هم می‌گردیم. دوتایی. زود صبحونت رو تموم کن که کلی برنامه دارم.»

شهرزاد با بی‌حوصلگی لقمه‌هایی را که مسعود دستش می‌داد، می‌گذاشت توی دهانش. تلفن زنگ زد. مسعود خم شد و گوشی تلفن را برداشت. چند بار الو الو گفت: «انگار صدا نمی‌آد.»

شهرزاد به استکان چایی خیره شده بود. مسعود سرگرم گرفتن لقمه دیگری شد. شهرزاد دستش را تکان داد و با دهان پر و صدای نامعلومی گفت: «ب... سه... سیر... شدم.» مسعود انگار نشنید و همان‌طور لقمه می‌گرفت. بعد لقمه را گذاشت توی دهان خودش و در حالی که به میز خیره شده بود، لقمه دیگری گرفت.

به دنیا نیامده‌ایم که چوب قضاوت به دست بگیریم و سر هر راه و بیراهی مردم را قضاوت کنیم. ما مرکز دنیا نیستیم؛ حتی اگر این‌طور به نظرمان برسد. ما لبریز از اشتباهات و کمبودهایی هستیم که دیگران را به خاطرش تحقیر می‌کنیم.

فصل سوم

از وقتی نسرین به خانه رسید، فقط کار کرده بود؛ آشپزی، شستن و اتوی لباس‌ها، جارو و تمیز کردن خانه، دوختن چند تا لباس نیمه کاره که مدتی وقتش را صرف آنها کرده بود و بعد هم رفتن دنبال بچه‌ها.

در فکر بود که شاید فرهاد امشب زودتر بیاید. سال‌های زیادی بود که روزهایش همین‌طور گذشته بود. دیگر آن دختر دانشجوی پر انرژی نبود. حتی یادش نمی‌آمد که چطور درسش را تمام کرده بود. روز دوم یا سوم دانشگاه بود که با علی آشنا شد و چند ماه بعد عقد کرده بودند.

از میان لباس‌هایش لباس خواب توری قرمز رنگی را بیرون کشید. جلوی آینه ایستاد. به تصویرش خیره ماند. سروش، پسر شش ساله‌اش در نزده پرید داخل اتاق. نسرین پشت در کمد قایم شد.

«چند بار بهت بگم در بزن؟!» سروش شبیه خودش بود چشم‌های سبز و موهای مجعد و توپر. بی‌توجه به حرف نسرین شروع کرد به حرف زدن. «بیا سیاوش رو ببین. ماشین قرمزم رو برداشته گذاشته اون بالا.»

«برو بیرون، میام. دارم لباس می‌پوشم.»

سروش همان‌طور که آمده بود، دوان دوان از اتاق بیرون رفت، موقع دویدن تنش را چپ و راست می‌کرد و بالا می‌پرید. نسرین با صدای بلند گفت: «این‌قدرم ندو زیر پامون آدمه‌ها.»

سیاوش که سر و گردنی از سروش بلندتر بود، ماشین قرمزی را با دو دستش تا جایی که می‌توانست، بالا برده بود. سروش مدام هق‌هق می‌کرد و بالا می‌پرید. وقتی چشمش به نسرین افتاد، داد زد: «مامانی سیاوش رو ببین. من ماشینم رو می‌خوام.»

نسرین ابروهایش را در هم کرد. «باز تو سر به سر این بچه گذاشتی؟!» چهره سیاوش به بابایش رفته بود. عموی سیاوش او را «وقتی بابا کوچک بود» صدا می‌زد. سیاوش گفت: «آخه با ماشینش می‌آد روی دفتر و کتاب من. هرچی هم می‌گم نیا دارم مشق می‌نویسم، می‌گه برو یه جای دیگه مشق بنویس.»

نسرین زیر لب زمزمه کرد. «آره سروش؟»

سروش دوید و رفت توی اتاقش. نسرین به طرف سیاوش رفت. ماشین را از دستش گرفت. سروش پشت تخت قایم شده بود. نسرین رفت و نشست روی تخت. «راستی سروش امروز معلمتون دیکته گفت؟»

سروش با صدایی که به سختی شنیده می‌شد گفت: «آها.»

«کوش؟ دفترت رو بیار ببینم.» سروش از پشت تخت بیرون آمد و سراغ کیفش رفت. دفترش را داد دست نسرین. همان‌طور که شکمش را جلو داده بود؛ ایستاد روبه‌رویش. دفتر را باز کرد. «بیست شدی؟! باریکلا... اما انگار چند تا غلطم داری. آره؟!» سروش سرش را تکان

داد. «نبینم دیگه سیاوش رو اذیت کُنیا.» سروش سر تکان داد.

به آشپز خانه برگشت. چیزی نگذشت که دوباره صدای جیغ و داد سروش بلند شد. تلفن زنگ زد. صدای فرهاد بود. «سلام این صداها چیه؟»

«چی می‌خوای باشه؟ مثل همیشه. تو کجایی؟ کی میای؟»

«کار زیاد دارم دیر میام. شام منتظرم نباش.»

نسرین دستش را روی لبه کابینت سایید. «برات قیمه پختما.»

«بذار برای ناهار فردا.» فرهاد خداحافظی نکرده گوشی را گذاشت.

نگاهی به قابلمه‌های روی گاز انداخت. گوشش سوت می‌کشید.

سال آخر دانشگاه با فرهاد آشنا شد. علی، یک دختر روی دستش گذاشته بود و تمام وقتش پی الواطی بود. وقتی با فرهاد آشنا شد هنوز از علی جدا نشده بود. شاید اگر فرهاد وارد زندگیش نشده بود، هیچ وقت جرأتش را نداشت. روزی که برای همیشه قید دخترش را زد، فرهاد دنبالش آمد. هیچ وقت آن دوران را فراموش نمی‌کرد. حالا سال‌ها از آن زمان گذشته بود و فرهاد دیگر فرهاد سابق نبود. داد زد: «بچه‌ها! وقت شامه بیاین کمک.» سروش دوید توی آشپزخانه. «اَه مگه بابایی نمی‌یاد؟»

«نه! کار داره شام میخوره می‌آد.»

لب سروش آویزان شد. «بابای بد.»

«این حرفا چیه می‌زنی. نشنوما. بدو به سیاوش بگو بیاد شام بخوریم.»

سروش دوان دوان از آشپزخانه بیرون رفت. «این قدر ندو بچه!»

«خودت گفتی بدو.»

سیاوش آمد توی آشپزخانه. «مامان می‌شه موقع شام خوردن، فیلم ببینیم؟»

«نه!»

«قول میدم جایی رو کثیف نکنم.»

نسرین کلافه بود. «خیلی خوب. بیا غذات رو بگیر ببر.»

بچه‌ها که خوابیدند، تازه یاد خودش افتاد. دیر وقت بود.

لباس خوابش را پوشید و لبش را قرمز کرد. روی تخت دراز کشید. روی تخت غلت می‌زد. دستش را روی بالش فرهاد کشید. پاهایش را گلوله کرد و با دو دستش توی شکم فشار داد. به بلوز و شلوار فرهاد که پشت در آویزان بود نگاه کرد. فکر کرد که چقدر توی این لباس فرهاد خوش قیافه می‌شود. صدای تیک تیک ساعت توی اتاق پیچیده بود. به جای خالی فرهاد روی تخت دست کشید. سوزشی در سینه‌اش احساس کرد. آن‌قدر منتظر ماند که خوابش برد. با صدای فرهاد از خواب پرید. فرهاد داشت لباسش را در می‌آورد. نسرین چراغ بالای سرش را روشن کرد. فرهاد بدون آن که به نسرین نگاه کند زمزمه کرد. «بگیر بخواب.» نسرین خودش را جابه‌جا کرد. فرهاد رفت زیر لحاف، «چراغ رو خاموش کن.»

نسرین چراغ را خاموش کرد. به شانه‌های فرهاد نگاه کرد تا خوابش برد.

صبح که بیدار شد. فرهاد رفته بود. سروش با صدای بلند گفت: «مامان پاشو دیرمون می‌شه.» بچه‌ها را رساند.

در راه برگشت، به شراره رنگ زد. شراره دوست دوران دانشجویی بود. سنگ صبورش بود؛ هر وقت دلش می‌گرفت، همدمش بود. دوستی‌شان هیچ وقت قطع نشده بود. دو سال از نسرین کوچک‌تر بود و یک دختر هفت ساله داشت.

«می‌خوام برم خرید میای با هم بریم... باشه پس من تا یکربع... .»

شراره از در خانه بیرون آمد و سوار ماشین شد. «وای چقدر دلم تنگ شده بود برات.» نسرین را در بغلش فشرد. «سروش و سیاوش چطورن؟» «اونا هم خوبن الان رسوندمشون.»

«اینارو سرویسی کن این‌قدر خود تو عذاب نده.»

«نه برام خوبه. میام بیرون کارامو هم زودتر انجام می‌دم.»

«خوب کجا بریم؟»

«شهروند چطوره؟»

«خوبه.»

نسرین ماشین را روشن کرد. ماشینی با سرعت از کنارشان رد شد. «انگار سر می‌بره.»

«سرم نبره بالاخره یه سری رو به باد می‌ده.» شراره کمربندش را بست. نسرین ضبط را روشن کرد. شراره پرسید: «فرهاد چطوره؟»

«مثل همیشه، گرفتار. داره خودش رو می‌کشه با کارش. شب و روز نداره. بچه‌ها تقریباً نمی‌بیننش. فقط یه جمعه است که اونم یا خوابه یا با دوستاش می‌ره بیرون شهر.» صدای نسرین می‌لرزید. چشم‌هایش خیره شده بود به روبه‌رو اما انگار جایی را نمی‌دید.

«پیش مشاور نرفتی؟»

«برم چی بگم؟ شوهرم کارش زیاده؟»

«نمی‌دونی مشکلی داره یا نه؟»

«نمی‌دونم. شاید شکمم رو عمل کنم یک فرجی بشه.»

«یعنی می‌گی مشکل از توئه؟! خطر نداره؟»

«والّا همه چی خطرداره.»

«ولش کن نسرین تو هم الکی حساسی.»

«فرهاد از شکمم بدش می‌آد. می‌گه هر طوری شده باید درستش کنم. می‌گه نمی‌تونه با این وضع نگام کنه.»

«مثل این که سه تا بچه دنیا آوردیا!»

نسرین حواسش پرت شد به ماشینی که با سرعت از ماشین‌ها سبقت می‌گرفت. «نگاه چه دیوانه‌ایه این آدم.»

شراره لبخندی زد. «اگه بخوای به اینا توجه کنی اعصابت داغون می‌شه.»

داخل شهروند، نسرین به دختری جوان که روسری قرمز به سر داشت، اشاره کرد. «نگاه تورو خدا به شمر گفته زکّی. یکی از اینارو تو باشگاهمون داریم. هر وقت می‌بینیش سوار یه ماشین می‌شه. من یکی که جرأت ندارم حتی باهاش حرف هم بزنم.»

«چطور مگه؟»

«فرهاد از این جور دخترا خوشش نمی‌آد.»

شراره چند تا ماکارونی برداشت. «نمی‌خوای یه خُرده عوض شی نسرین؟! خودتو یادت نیست توی دانشگاه؟»

نسرین لبش را کج کرد. «اون نسرین مُرد.» صدای تپش قلبش توی

گوشش پیچید.

شراره گفت: «نه! تو عوض نشدی. رنگت عوض شده، همین. انگار با یه چیزی رنگت کردن.» بحث را همان‌جا تمام کردند. چهره نسرین آن‌قدر آویزان بود که شراره ادامه نداد.

صندوق عقب پر شده بود. جیب‌هایش خالی آن چنان فکرش مشغول بود که نفهمیده بود چطور آن همه چیز را بار کرده و خریده است. انگار تازه به خودش آمده باشد، با چشم‌های گرد شده به آنها نگاه می‌کرد.

شراره را رساند و به خانه برگشت. غذا که آماده شد، وقت تعطیلی مدرسه بود.

سروش دوید طرف ماشین. در را باز کرد و خودش را روی صندلی انداخت.

نسرین سرش را برگرداند به طرف سروش. «چقدر بگم ندو.»

سروش انگشت‌هایش را آورد جلو و گفت: «این‌قدر.»

نسرین خنده‌اش گرفت. «سیاوش کجاست؟»

«نمی‌دونم من منتظرش واینستادم.»

«چرا؟»

«آخه همش بهم دستور می‌ده.»

سیاوش آرام از مدرسه بیرون آمد. در جلو را باز کرد و نشست توی ماشین. «سلام.» نسرین جوابش را داد. راه که افتادند سروش در حالی که سرش را به پنجره ماشین چسبانده بود گفت: «مامان می‌شه یه آهنگ بگذاری؟» نسرین سرش را چرخاند. «چی گفتی؟»

سروش ادامه داد. «می‌خوام آدما رو با آهنگ نِگا کنم.»

سیاوش برگشت و گوش سروش را به آرامی کشید. «آره مامان یه آهنگ بذار.» نسرین دستش روی دکمه ضبط رفت. همیشه یک سی دی آماده آن جا بود. بچه‌ها هم به آن عادت کرده بودند. نسرین توی فکر بود و متوجه نشد که بچه‌ها شروع کردند به تعریف از اتفاقاتی که آن روز افتاده بود. صدای سروش و سیاوش با موسیقی یکی شده بود و نسرین نمی‌فهمید چرا معنای هیچ صدایی را درک نمی‌کند.

آخر شب، فرهاد روی تخت روزنامه می‌خواند. نسرین لباس خوابش را پوشید. جلوی آینه به خودش نگاه کرد. از توی آینه نگاهش به فرهاد افتاد که روزنامه را ورق می‌زد. برگشت به طرفش. «قیافه‌ام چطوره؟» فرهاد جوابی نداد. نسرین دوباره سؤالش را تکرار کرد. فرهاد بدون این که سر بلند کند گفت: «خوبه.»

«اما تو که منو نگاه نکردی.»

«نمی‌بینی دارم روزنامه می‌خونم؟» دستش را توی موهایش فرو برد. خودش را برانداز کرد. دستش روی برجستگی شکمش ثابت ماند.

یاد زمانی که برای اولین بار حامله شده بود، افتاد؛ دنیا چه رنگ‌هایی داشت. هنوز دانشجو بود، آن هم سال اول. درست وقتی که باید به خودش فکر می‌کرد. نمی‌دانست تقصیر کیست. دلش می‌خواست تقصیر دیگران باشد؛ کسانی که ازدواج زود هنگام را توی کله‌اش فرو کرده بودند. انگار هر کسی زودتر ازدواج کند، افتخار بیشتری نصیبش می‌شود. وقتی حامله شد، تازه فهمید که یک جای کار اشکال دارد. هر چند به روی خودش نمی‌آورد، اما همان‌طور که شکمش بزرگ‌تر

می‌شد، دیدن دخترهای دیگر برایش سخت‌تر بود. انگار ته دلش چیزی می‌سوخت. فقط شراره برایش ماند. علی روز به روز بدتر شد. دخترش را از دست داد. دختری که بدوقتی، سرزده آمده بود.

فکر کرد شاید اشکال از لباس خواب باشد. کشوی دراورش را باز کرد و لباس خواب دیگری درآورد. لباسش را همان‌جا عوض کرد. از توی آینه نگاهی به فرهاد انداخت. فرهاد هم‌چنان مشغول خواندن روزنامه بود. حتی سرش را بالا نیاورد. زیر لبی گفت: «این‌قدر جلوی آینه وایسادی خسته نشدی؟» دستش را زد به کمرش. کمی خودش را کج کرد و لبش را مثل غنچه جمع کرد.

فرهاد روزنامه را ورق زد. نسرین کلافه گفت: «یه دقیقه نگاه کن.»

فرهاد بعد از چند ثانیه نگاهش را از روزنامه به نسرین دوخت و دوباره برگرداند و مشغول خواندن روزنامه شد. «ول کن. حوصله داری. اگه بیکاری برو یه چایی دم کن بیار.» ابروهای نسرین در هم رفت. ملافه‌ای روی شانه‌اش انداخت. گونه‌هایش گر گرفته بود. لبش را گاز گرفت. صدای فرهاد آمد. «داری گریه می‌کنی دوباره؟» جوابی نداد. اشک روی گونه‌هایش شیار انداخته بود. چایی را آماده کرد و به اتاق آمد. فرهاد سرش را بالا آورد. «می‌دونی از قهر خوشم نمی‌آد که.» نسرین چیزی نگفت. لباس خوابش را عوض کرد.

فرهاد روزنامه را جمع کرد. «اگه این دو تا بچه نبودن خونه نمی‌اومدم.» نسرین لب‌هایش را روی هم فشرد و جواب نداد. فرهاد روزنامه را مچاله کرد. «من بیرون می‌خوابم.» نسرین روی تخت دراز کشید. فرهاد چراغ را خاموش کرد و از اتاق بیرون رفت.

یک روز در حالی‌که قدم‌زنان از همان مسیر همیشگی‌مان عبور می‌کنیم، دنیا برایمان بیگانه می‌شود. یاد آرزوهایی می‌افتیم که هیچ وقت به آنها نرسیده‌ایم. همه‌جا بوی تازگی می‌دهد و ما بوی ماندگی.

برای آنهایی که حتی به ما، فکر هم نمی‌کنند، زندگی کرده‌ایم و وقتی خوب خاطراتمان را مرور می‌کنیم، می‌فهمیم که هرچه را داشته‌ایم از دست داده‌ایم چیزی به دست نیاورده‌ایم.

فصل چهارم

گلچهره در راه به خودش فکر می‌کرد؛ به چیزهایی که می‌خواسته و به چیزهایی که دارد.

«تقصیر خودمه. خودمم که کوتاه اومدم. چقدر می‌شه از خود گذشتگی کرد. بی‌خودی از حرف مردم ترسیدم. از یه عشق بی‌حساب و کتاب. تقصیر خودمه. آره کسی که زورم نکرده بود. نه محتاج بودم و نه بی‌کس و کار؛ حالا باید قید همه آرزوهام رو بزنم.»

کفش‌های حمید دم در بود. در را باز کرد و کیسه خریدهایش را گذاشت داخل. «حمید!»

«من این‌جام، توی اتاق.» صدای حمید خواب آلود بود. گلچهره در را بست و همان‌طور که مانتویش را در می‌آورد به طرف اتاق رفت. «تو چرا باز برگشتی خونه؟»

«بَده بیام پیش زنم؟»

گلچهره لباسش را در آورد. «من می رم دوش بگیرم.»

«نمی‌خواد. بیا این جا. بعدش می ری.» حمید روی تخت دراز کشیده بود و هنوز لباسش را عوض نکرده بود.

گلچهره نشست لبه تخت. «کی اومدی؟!»

«نیم ساعتی می‌شه. دیر کردی من هم خوابم برد.»

«رفتم خرید. این شرکتتون بیکاره؟!»

حمید خم شد و دست‌هایش را گرفت. «می‌خواستم بیام پیش تو؛ دلم برات تنگ شده بود.»

ابروهایش را در هم کشید. بدنش را کج کرد تا از روی تخت بلند شود. حمید دست‌های گلچهره را به سمت خود کشید.

«ول کن حمید خواهش می‌کنم. اگه تو کار نداری، من دارم.»

حمید سرش را جلو آورد. سعی کرد خودش را از دست حمید بیرون بکشد. «می‌شه یه دفعه هم شده از دستم فرار نکنی؟»

گلچهره همان‌طور که خودش را پیچ و تاب می‌داد، جواب داد. «می‌شه تو هم یک روز بذاری به کارام برسم. اگه این‌قدر توی شرکتتون بیکاری چرا رضایت نمی‌دی که بریم کانادا؟»

«که چی؟ بریم بگیم چَن منه؟»

«تو که می‌دونی من پذیرش دارم. درس می‌خونم.»

«آها اونوقت من چی کار کنم؟»

گلچهره توی دلش گفت: «همین کاری که الان می‌کنی» اما لبش را گاز گرفت و گفت: «خوب تو هم بالاخره یه کاری پیدا می‌کنی.»

«تو بگو چه کار؟»

«اگه آدم بخواد می‌تونه. هر کاری بخوای بکنی همینه دیگه. تو هم می‌تونی ادامه تحصیل بدی.»

«نه خیر ممنون! من تا همین جا هم درس خوندم واسه هفت پشتم کافیه.»

«تو قول دادی. چه خری‌ام که حرفاتو باور کردم.»

حمید نگاهش را دوخت به سقف اتاق. «نمی‌خوام ادامه تحصیل بدی.»

«پس مشکلت اینه. این همه وقت همش بهونه بود.» از روی تخت بلند شد. حمید دنبالش از اتاق بیرون آمد و با صدای بلند گفت: «نمی‌خوام زنم بره بین یه مشت دکتر موکتور خارجی.»

«از چی می‌ترسی؟»

«خودت می‌دونی از چی می‌ترسم.»

از قفسه داخل راهرو حوله برداشت و برگشت به طرف حمید. «آهان! لابد می‌ترسی ولت کنم برم با یه دکتر ازدواج کنم.»

حمید نفس‌نفس‌زنان گفت: «به‌به! پس بهش فکرم کردی.»

بدون این که به حمید نگاه کند؛ جواب داد: «نه! ولی حالا که تو می‌گی حتماً بهش فکر می‌کنم.»

دست‌های حمید توی هوا چرخید و به صورتش خورد. افتاد روی زمین. سرش خورد به چارچوب در حمام. حمید که هول شده بود نشست کنارش. «گلچهره! خانومم! غلط کردم. حالت خوبه؟»

چشم‌هایش را باز کرد و در حالی که سرش را گرفته بود گفت: «روانی!» «غلط کردم ببخشید.»

«تو که از فکر این که من برم با یه دکتر ازدواج کنم من رو می‌خوای بکشی، اگه واقعاً این کارو کنم چکار می‌کنی؟»

«دست خودم نبود.»

دستش خیس شد. خون بود. حمید دست‌هایش را گذاشت روی

سرش. «پاشو باید بریم بیمارستان.»

سرش را بلند کرد. «شلوغش نکن چیزی نیست.»

حمید دستش را انداخت زیر بدن گلچهره و از روی زمین بلندش کرد. دست و پا زد. «دیوونه! گفتم یه خراشه. می‌خوام برم حمام ولم کن.»

«نه خیر! هیچ جا نمی‌ری. می‌برمت دکتر.»

«نگاه کن دیگه خون نمی‌آد.»

حمید گذاشتش روی صندلی آشپزخانه و شروع کرد به وارسی کردن. یک خراش کوچک روی سر گلچهره دیده می‌شد. «اگه خون‌ریزی مغزی کردی چی؟»

«هیچی اونوقت تو قاتل می‌شی.»

«اصلاً هم شوخی بردار نیست.»

کلافه گفت: «من می‌خوام برم حمام.»

«باشه من خودم می‌برمت حمام. ممکنه سرت گیج بره و بیفتی. باید مواظبت باشم. بعدم می‌ریم دکتر، یه سیتی‌اسکن کنی.» پیچ‌وتابی به بدنش داد.

«آخرش روزم رو خراب کردی.»

«تقصیر خودت بود اگه با روی خوش روزت رو هدر نمی‌دادی حالا نمی‌خواست با اوقات تلخی روزت رو خراب کنی.»

همین که خواست از روی صندلی بلند شود، حمید دست انداخت و بغلش کرد. «بذارم زمین.»

«نه خیر می‌افتی کار دستم می‌دی.»

«دیوونه بذارم زمین، خودم می‌رم حمام.»

«مرغ یه پا بیشتر نداره. بیشتر گیر نده.»

حمید گلچهره را گذاشت روی صندلی حمام. آب را باز کرد و شامپو به موهایش زد. به صورت حمید خیره شد.

حمید هم نگاهش کرد. «تقصیر توئه دیگه؛ می‌دونی دوستت دارم، هی منو عذاب می‌دی.»

«من تو رو عذاب می‌دم یا خودت؟»

حمید گفت: «من روشن بینم.»

«از کی تا حالا نشستن و فکر این رو کردن که نکنه یکی بیاد زنم رو بدُزده، شده روشن بینی؟»

حمید دوش آب را باز کرد. گلچهره چشم‌هایش را بست. حمید گفت: «من فقط می‌دونم زنم رو دوست دارم و نمی‌خوام از دستش بدم.»

«با این کارایی که می‌کنی بعید نیست که از دستش بدی.»

حمید آب را بست. «دیگه از این حرف‌ها نزن.»

چیزی نگفت. حوله را دورش پیچید و به اتاق رفت. موهایش را سشوار کشید و لباسش را تنش کرد.

موقع بیرون رفتن از خانه موافقت کرد که فقط مراقبش باشد. تا دم در صد بار گفت: «مواظب باش.»

وقتی حمید خیالش راحت شد که گلچهره خونریزی مغزی نکرده، تقریباً شب شده بود. گلچهره با بی‌حوصلگی از پنجره ماشین، بیرون را نگاه می‌کرد. حمید کنار خیابان نگه داشت. گلچهره سر بر گرداند به طرف حمید. «چکار می‌کنی؟»

«میرم بستنی بگیرم. جشن سلامتی تو.»

حمید برگشت. بستنی را داد دستش. «اخماتو باز کن.»

سعی کرد لبخند بزند، اما بدون این که لب به بستنی بزند به نقطه‌ای خیره شد. حمید بستنی را یکجا بلعید. «چرا بستنی رو نمی‌خوری؟»

«میل ندارم.»

«میل ندارم چیه؟ بخور برات خوبه، فشارت می‌افته. ندیدی دکتر گفت فشارت پایینه.»

«حمید! ما چرا با هم زندگی می‌کنیم؟»

«به خاطر این که همدیگرو دوست داریم.»

«واقعاً داریم؟!»

«بس کن. معلومه دیگه.»

«اما من در مورد تو هم مطمئن نیستم.»

«می‌شه دوباره شروع نکنی.»

«بالاخره باید یه جایی تموم بشه. نمی‌شه این مسأله رو دست کم گرفت. تو فقط به فکر خودت هستی. می‌خوای ازم عروسک بسازی؛ ولی من می‌خوام خودم باشم.»

«من که همین‌طوری ازت خوشم می‌آد.»

«اما این‌طوری من از خودم هم خوشم نمی‌آد. اوضاعمون رو ببین. تو حتی نمی‌ذاری من جُم بخورم. هر روز یه برنامه پیاده می‌کنی که من به کارام نرسم. خودت می‌دونی چند سال معطل شدم تا بالاخره پذیرش گرفتم. خیلی کارها هم هست که دیگه باید فاتحشون رو بخونم.»

«چه کارایی؟»

«با این کارات باید قید همه چیز رو بزنم. می‌خوام وقت برای خودم

داشته باشم. به کارای خودم برسم.»

«یعنی این چیزایی که می‌گی از من مهمتره؟»

«این چیزایی که می‌گم همش به یه اندازه مهمن. نمی‌شه که یکی رو ول کنی و به یکی دیگه‌ش بچسبی.»

حمید دستش را به طرف بستنی گلچهره آورد و آن را گرفت. «بده من تا آب نشده.»

گلچهره با ابروهای درهم به بستنی خوردن حمید نگاه کرد. «حتی نمی‌تونیم با هم حرف بزنیم.»

«پس الان چکار می‌کنیم؟»

گلچهره به حمید که با ولع بستی می‌خورد، نگاه کرد. «تو بستنی می‌خوری و من برای خودم لالایی می‌خونم.»

«جدی؟»

«حمید دیگه واقعاً داری روی اعصابم راه می‌ری. نمی‌تونی چند دقیقه جدی به زندگی نگاه کنی؟ دارم می‌گم من نمی‌تونم با این وضعیت زندگی کنم.»

حمید در حالی که آخرین تکه‌ی بستنی را توی دهانش می‌گذاشت گفت: «زندگی می‌کنی؛ خوب هم زندگی می‌کنی.»

ساکت شد. از پنجره به رفت و آمد ماشین‌ها چشم دوخت. حمید ماشین را روشن کرد و راه افتاد. مدام بر می‌گشت و به چهره بیقرار گلچهره که فقط به روبه‌رو خیره شده بود نگاه می‌کرد. «بگو ببینم دردت چیه؟ چی کم داری؟» گلچهره نفس عمیقی کشید. زیر لب زمزمه کرد. «خودمو.»

بارها از مرز قضاوت‌ها و واقعیت‌ها عبور کرده‌ایم. همه چیز آن‌طور که به نظر می‌رسد، معنا نمی‌دهد. مرزها از حریم انسان‌ها محافظت می‌کنند. اگر کسی به حریم‌ها اهمیتی نمی‌داد، هرگز دیواری ساخته نمی‌شد.

فصل پنجم

پریناز در ماشین را باز کرد و سوار شد. راننده، برادرش پیمان بود، به سختی می‌شد قرابتشان را تشخیص داد.

گفت: «چه زود برگشتی خونه!»

پیمان دنده را عوض کرد و سر چهارراه سرعت را کم کرد. «کلاسمون امروز برگزار نشد.»

پیمان کمی منتظر شد و وقتی پریناز را ساکت دید گفت: «نمی‌خوای بدونی چرا کلاسمون تشکیل نشد؟»

برگشت و بدون آن که پاسخی دهد به پیمان چشم دوخت.

«دانشگاه شلوغ پلوغ بود. منم زود سوار ماشین شدم و اومدم خونه.»

باز هم چیزی نگفت و دوباره سرش را برگرداند به طرف پنجره.

«هیچی نمی‌خوای بگی؟»

«چی بگم؟»

پیمان دوباره دنده را عوض کرد و داخل کوچه پیچید. «اظهار نظری، چیزی؟»

«می‌دونی که من از سیاست خوشم نمی‌آد. یه نگاهی به دوروبرت

بنداز. به این آدما، این جا جاییه که تو داری زندگی می‌کنی. نمی‌تونی فکر این همه آدم رو عوض کنی.»

«یعنی می‌گی هر چه بادا باد؟ بارک‌ا... دست شما درد نکنه؟»

«نه داداشی. یعنی این که عقلت رو بکار بنداز ببین هر جا چطوری باید زندگی کنی. اگه جایی هم فکری برات وجود نداره باید بری جایی که همفکرای تو وجود داشته باشن. جایی که اون‌قدر بتونن بفهمن که تقاضا و خواسته‌ات چیه.»

«بفرما تو هم که سیاسی شدی.»

پیمان جلو خانه، ماشین را نگه داشت. «تو پیاده شو من می‌آم.»

در خانه را باز کرد و وارد راهرو آپارتمان شد. مادرش روی مبل نشسته بود، عینکی به چشم داشت و مشغول خواندن کتاب بود. لبخندی زد و دوباره سرگرم مطالعه شد. پریناز به طرف اتاقش رفت. مادر پرسید: «می‌ری دانشگاه؟» همان‌طور که به طرف اتاق می‌رفت، گفت: «بعدازظهر.»

پیمان که آمد، بحث روز داغ شد. مادر می‌گفت: «این روزها همه سیاسی شدن. اصلاً کسایی از سیاست حرف می‌زنن که قبلاً حتی اسم آدمای مهم مملکت رو نمی‌دونستن. هر جا می‌ری...»

پریناز داخل اتاقش روی تخت دراز کشید. دکور اتاقش را با سلیقه خودش چیده بود. رنگ دیوارها سبز و آبی و آجری بود. رنگ در اتاقش موج می‌زد.

چشم‌هایش گرم شده بود که تلفن زنگ زد.

دستش را دراز کرد و تلفن را برداشت.

ستاره بود؛ در کلاس آزاد داستان‌نویسی با هم آشنا شده بودند. پنج، شش سالی کوچکتر از او بود اما راحت با هم ارتباط برقرار می‌کردند.

«داستان جدیدم رو نوشتم.»

«باشه می‌خوای عصر یه قراری بذاریم داستانامون رو بخونیم... نه اون موقع کلاس دارم. می‌خوای بیای دانشگاه؟... آره اون وسطای کلاس که مشغول استراحتیم می‌شه... می‌بینمت.»

پریناز گوشی را که گذاشت، دوباره خوابید.

ساعت یک کلاسش شروع می‌شد؛ نشانه‌شناسی. پله‌ها را دوتا یکی بالا رفت. وارد کلاس که شد نادیا برایش دست تکان داد. رفت و پیش نادیا نشست. نادیا پرسید: «چرا دیر اومدی؟»

«خوابیده بودم.»

نوید دو ردیف جلوتر نشسته بود. برگشت و نیم‌نگاهی به پریناز انداخت. پریناز چشم‌هایش را چرخاند تا با چشم‌های او تلاقی نکند.

استاد وارد کلاس شد. اما نوید هم چنان بر می‌گشت و نگاهش می‌کرد.

نادیا که نگاه نوید را تعقیب کرده بود؛ سرش را نزدیک گوش پریناز آورد. «نوید چرا این‌قدر بهت نگاه می‌کنه؟»

پریناز همان‌طور که به استاد که مشغول کشیدن نموداری روی تخته بود نگاه می‌کرد گفت: «اون فیلمنامه که بهت دادم خوندی، دادمش به نوید بخونه.»

«اوه اوه اونو دادی؟!»

استاد که از بالای سکو وقایع کلاس را زیر نظر داشت؛ گفت: «آقای

سرمد اگه با خانم زرنگار کاری دارید، تشریف ببرید حرف‌هاتون رو بزنید و برگردید.» نوید به طرف پریناز برگشت و منتظر عکس‌العملی از او شد.

پریناز سرجایش میخکوب شده بود. بی‌آن که به نگاه نوید پاسخ دهد، گفت: «نه... نه... استاد... ممنون.»

کلاس منفجر شد. همه با هم زدند زیر خنده. نوید سرش را انداخت پایین و تا آخر کلاس دیگر به طرف پریناز برنگشت.

هنوز کلاس تمام نشده بود که ستاره پشت در کلاس ایستاده بود و از لای در توی کلاس سرک می‌کشید. اسم پریناز را که برای حضور و غیاب خواندند، از در کلاس بیرون آمد. ستاره پرید و بغلش کرد. «سلام پریناز خوشگله!» نادیا هم از در کلاس بیرون آمد. «پری نمی‌آی کافی‌شاپ یه چیزی بخوریم؟»

پریناز به طرف ستاره برگشت. «بریم کافی‌شاپ؟»

ستاره لبخندزنان گفت: «بریم.»

نادیا کنجکاوانه پرسید: «راستی نوید چی شد؟ باهاش حرف نزدی که!»

پریناز سرجایش ایستاد. «آخ! راست می‌گی همش تقصیر من بود چقدر خجالت کشید.»

برگشت تا به طرف کلاس برگردد که با نوید رو در رو شد. «وای!»

نوید همان‌طور که به چشم‌هایش خیره شده بود گفت: «ببخشید.»

بهت‌زده به نوید نگاه کرد. چیزی در چشم‌های نوید تغییر کرده بود. تا آن روز آن‌طور به او نگاه نکرده بود. نوید ادامه داد. «شماره‌تون رو

نداشتم وگرنه دیشب بهتون زنگ می‌زدم.»

«چطور؟! فیلمنامه رو خوندین؟»

«آره تا رسیدم خونه شروع کردم به خوندنش دو ساعته تمومش کردم.»

«خوشتون اومد؟»

«خیلی! باید درباره‌اش باهاتون حرف بزنم. وقتش رو دارین؟»

به طرف ستاره و نادیا که می‌خندیدند برگشت و گفت: «الان نه!»

نوید سرش کمی به پایین خم شد. «باشه پس... می‌تونید شب بهم زنگ بزنید؟» بعد کاغذی را که رویش شماره تلفن نوشته شده بود همراه فیلمنامه به دستش داد.

پریناز در حالی که کاغذ را از دست نوید می‌گرفت گفت: «باشه حتماً. دیگه فیلمنامه را نمی‌خواین؟»

«نه هر چی لازم بود رو یادداشت کردم.» فیلمنامه را گرفت.

نوید در حالی که سرش پایین بود گفت: «پس من شب منتظر تماستون هستم.» پریناز با سر تأیید کرد و از هم جدا شدند. به طرف نادیا و ستاره برگشت.

ستاره لبخندزنان گفت: «ازت خوشش می‌آد.»

«چطور؟»

«قیافه‌اش تابلوه.»

«نه بابا خجالتیه. فکر نکنم به غیر از فیلمنامه بخواد در مورد چیزی باهام حرف بزنه.»

«آره حتماً همین‌طوره!»

ستاره و نادیا با هم خندیدند. پریناز بدون این که بحث را ادامه دهد رو به ستاره کرد. «داستانت رو آوردی؟»

«نه پس این همه راه اومدم این جا که نوید خوشگله شما رو ببینم.»

نادیا میان حرفشان گفت: «اگه زود نجنبی دیدی من تورش زدما.»

پریناز شیطنتش گل کرد. «حالا بعد از دو ترم؟! اگه قرار بود تور بزنی که تا حالا زده بودی.»

در محوطه دانشگاه پسری قد بلند از دانشجوهای سال بالاتر همان‌طور که از دور به پریناز نگاه می‌کرد، سلام کرد. ستاره گفت: «نگاه کن چقدرم خاطرخواه داری، پریناز!» پریناز به روی خودش نیاورد.

نادیا گفت: «چرا جوابش رو ندادی؟»

سرش را تکان داد. «من که نمی‌شناسمش. توی کلاس تافل همکلاس بودیم. هر بار منو می‌بینه سلام می‌کنه. منم که جواب نمی‌دم از رو نمی‌ره.»

«جواب سلام واجبه.»

«یه بار جواب سلام بدی فردا لابد می‌خواد حالت رو هم بپرسه و الکی الکی...» به طرف بوفه دانشگاه پیچیدند.

نادیا پرسید: «چی می‌خورین؟»

ستاره پشت چشمی نازک کرد و گفت: «اسپرسو.»

نادیا گفت: «بشین تا برات بیارم.»

پریناز گفت: «برای من آب میوه بگیر با کیک.»

ستاره گفت: «منم همین‌طور.» پریناز دستش را کرد توی جیبش و مشتی پول در آورد و چپاند توی دست نادیا.

«اینا چیه دیگه؟»

«پوله.»

نادیا پول‌ها را ریخت روی میز. «صدقه قبول نمی‌کنیم.» به طرف بوفه رفت.

ستاره و پریناز پشت میز نشستند. ستاره داستانش را درآورد و شروع کرد به خواندن. «فقط قبل از این که بخونم بگم این داستانم مینیمالیستیه‌ها.»

پریناز سری تکان داد منتظر به ستاره نگاه کرد.

«مرد روی سنگ‌های لبه تراس نشسته بود و همان‌طور که سیگارش را پک می‌زد به منظره نگاه می‌کرد. درخت‌ها زرد، قرمز و نارنجی بودند. برگ‌های خشک همراه باد می‌چرخیدند و روی زمین می‌ریختند. از ته کوچه زن را دید که به طرف خانه می‌آمد. دودهای سیگارش را بلعید. زن دو کیسه در دستش بود و آرام قدم برمی‌داشت. مرد صدای زنگ را شنید. زن سرش را چرخاند و به مرد که روی ایوان نشسته بود نگاه کرد. مرد از جایش تکان نخورد. زن کیسه‌ها را روی زمین گذاشت. توی کیفش دنبال کلید گشت. بالا که آمد مرد هنوز همان‌جا نشسته بود و سیگار می‌کشید. ایوان پر شده بود از ته‌سیگار. زن دم ایوان آمد و به ته سیگارها نگاه کرد. مرد بی‌توجه به کوچه خالی نگاه می‌کرد. زن کیسه‌ها را روی میز آشپزخانه گذاشت. مرد از بالا نگاهی به حیاط انداخت. همه جا پر از برگ‌های خشکی بود که از روی شاخه به زمین ریخته بودند. زن داخل اتاق رفت و لباس‌هایش را ریخت توی چمدان. مرد سیگار دیگری روشن کرد. ته سیگارش را

انداخت کف تراس. زن دم تراس آمد. «برات یه کم خرت و پرت خریدم، بخوری از گرسنگی نمیری.» مرد پک دیگری به سیگار زد. زن چمدان را برداشت و از در خانه خارج شد. چشم‌های مرد، زن را که تا به انتهای کوچه برسد تعقیب کرد. صدای غارغار کلاغ‌ها بلند شد. زن لحظه‌ای ایستاد و به طرف خانه‌شان نگاه کرد. کلاغ‌ها بال زنان از حیاط خانه فاصله می‌گرفتند. مرد روی تراس نبود.»

زل زده بود به صورت ستاره. ستاره جمله‌اش را که تمام کرد. به او خیره شد. «خوب؟»

«خوب بود. حالا چرا این‌قدر مایوس. من که هپی اندینگ دوست دارم.»

بعد شروع کردند به نقد کردن داستان.

«به نظرت میشه اینو بفرستم برای مسابقه ادبی؟»

«آره چرا که نه!»

نادیا با آبمیوه و کیک آمد و نشست روبه‌رویشان «می‌بینم که داستان نقد می‌کنید. بده منم بخونمش.»

ستاره داستان را به نادیا داد و او آن را تا انتها خواند.

«فکر نمی‌کنی خیلی کوتاهه.»

ستاره لبخندی زد. «بچه‌های کلاس داستان نویسی بودن اینارو می‌گفتن.

داستان لاغره، انگیزه‌ی مرده برای این که می‌خواد بمیره معلوم نیست. گسترش نداره، معلومم نیست که مرد خودش رو کشته باشه و... اما می‌دونی من و پریناز تصمیم گرفتیم هر چی دلمون می‌خواد

بنویسیم. راستش یه مدت که می رفتیم کلاس، دیگه اصلاً نمی تونستیم بنویسیم. هر چی که می‌نوشتیم، توی کلاس یا درونمایه‌اش مخدوش بود، یا باید به کلی موضوع رو عوض می‌کردیم. خلاصه یه جوری شد که اصلاً یادمون رفت چطوری می‌شه بنویسیم. بعدشم تصمیم گرفتیم برای دل خودمون بنویسیم و برای همدیگه بخونیم و راهنمایی‌هامونم از ته دلمون باشه.»

پریناز به حرف‌های ستاره گوش می‌داد و سرش را به عنوان تأیید تکان می‌داد. «آره منم یه جایی خوندم که موفقیت یعنی انجام کاری که دوستش داریم.»

«چی بگم من یکی که از کار شما سر در نمیارم.»

نادیا به حرف‌ها و اظهار نظرهای پریناز و ستاره گوش می‌داد. حرفشان که تمام شد گفت: «خیلی بی‌کلاس حرف می‌زنین رفقا! یک خرده تخصصی‌تر برخورد کنید.»

بوفه کم‌کم شلوغ شد. پریناز نگاهی به ساعتش انداخت. «فکر کنم بهتره بریم یه جای خلوت که بتونم داستانم رو براتون بخونم.»

در محوطه دانشگاه روی نیمکتی نشستند. پریناز داستان را از لای کلاسورش در آورد.

«ساعت را دقیق نگاه کرد، چهار بعدازظهر. سر کوچه‌ای که به مدرسه‌شان منتهی می‌شد؛ آن هم مدرسه‌ای که چندین سال حتی از کنارش هم عبور نکرده بود، عاشق شده بود. همان‌جا در همان لحظه قلبش تپیده بود و فکرش لبریز از اندیشه‌های عاشقانه شده بود. دلش یک خودکار و کاغذ می‌خواست که بنشیند و شعر بنویسد. همان‌جا

روی آسفالت خیابان پاهایش را دراز کند و منتظر بماند. آن‌قدر ایستاد تا پر از لحظه شد. آن‌قدر ایستاد که ریزترین جزئیات محل وقوع حادثه را از بر شد. خطوطی را که روی تنه درخت‌ها بود، می‌توانست چشم بسته ببیند. سال‌ها بود که منتظر چنین لحظه‌ای مانده بود. از همه آدم‌هایی که می‌شناخت در موردش پرسیده بود و درباره تمام آدم‌هایی که نمی‌شناخت فکر کرده بود؛ که چگونه و چطور عشق وجودشان را فرا می‌گیرد. حتماً باید نقطه آغازی می‌داشت. مادرش می‌گفت: «زمانی می‌فهمی که دیگر کاملاً دچارش شده‌ای. این‌طوری نیست که ناگهان به سراغت بیاید. اما ناگهان درکش می‌کنی.»

خواهرش می‌گفت: «گاهی درد دارد. چنان با آرام‌ترین نغمه‌ای دلت را می‌سوزاند که نمی‌توانی تصور کنی. اما دردش هم شیرین است.»

حالا که فکرش را می‌کرد انگار دهانش شیرین شده بود. شیرینی خاصی که هیچ وقت تجربه‌اش نکرده بود.

پدرش روزنامه‌اش را تا جایی که چشم‌هایش را نمی‌توانست ببیند بالا کشیده بود و گفته بود. «هر وقت زمانش شد، خودت می‌فهمی.» و با خودش فکر کرده بود چطور پدرش این را می‌دانست!

در جایی خوانده بود. «زمانی که عاشق شدم مرگ را دیدم. او هم عاشق من شد و خواست مرا با خود ببرد.»

پاهایش سنگین شده بود نمی‌توانست از جایش تکان بخورد. دوستش دستش را بر شانه‌هایش گذاشته بود و گفته بود. «لحظه‌ای باور نکردنی است. اما حواست باشد مسحورش نشوی! لحظه بعدی وقت رفتن است.» پاهایش سنگی شده بود. کفش‌هایش انگار به زمین میخ

شده بود. سعی کرد پاهایش را از کفش بیرون بیاورد. وقتی موفق شد، احساس سبکی کرد. لباس‌هایش را یکی‌یکی در آورد. سبک شده بود. دست‌هایش را که از هم باز کرد، از زمین فاصله گرفت. بدنش را به جلو خم کرد و از آن لحظه دور شد. پسر بچه‌ای انگشتش را به طرف او گرفته بود. «مامان ببین آقاهه رو، هیچی تنش نیست.» مادرش دستش را گرفت و کشید. «بازم خیالاتی شدی؟» کمی جلوتر پسر بچه دوباره انگشتش را به طرفی گرفت. «مامان ببین اون آقاهه که هیچی تنش نبود اون‌جا روی زمین دراز کشیده.» جمعیت دورش حلقه زده بود. اما هیچ وقت آنها را ندید چون سبک و سبک‌تر شد و بالا و بالاتر رفت.»

خواندن پریناز که تمام شد. چشم‌هایش را به نگاههای ثابت نادیا و ستاره چرخاند. «خوب؟»

ستاره که تازه فهمیده بود داستان تمام شده است گیج و منگ گفت: «نفهمیدم این کجاش هپی‌اندینگه. کاراکترت که مُرد.»

پریناز همان‌طور که کاغذ را لای کلاسورش می‌گذاشت گفت: «مردن داریم تا مردن. توی داستان تو مرده خودش رو می‌کشه از بدبختی و احساس تهی بودن. اما توی داستان من، مرد با مواجهه با مرگ، عشق را احساس می‌کنه و تازه می‌فهمه این جسم بوده که مانع اصلی درکش بوده. وقتی با عشق واقعی مواجه می‌شه، می‌فهمه که زمان رفتنه.»

نادیا گفت: «من فکر کنم باید یه کم روش کار کنی چون بعضی از جمله‌هات برای این چیزی که می‌خوای بگی مناسب نیست.»

ستاره گفت: «حالا نمیشه این عشق آسمانی رو ولش کنیم. الان بریم

سراغ عشق زمینی؟»

پریناز دستش را انداخت دور شانه ستاره. «چرا می‌شه.»

نادیا که دوباره به حالت طبیعی خودش برگشته بود گفت: «آقایون و خانوم‌ها لطفاً وارد بحث‌های بی‌ناموسی نشید؟ خجالت نمی‌کشین جلوی اهالی دانشگاه، همدیگرو بغل کردین.»

ستاره ابروی چپش را بالا انداخت. «خانم شما منحرف تشریف دارین.»

نادیا قیافه‌اش هیجان زده شد. «آخ یاد حرف یه بنده خدا افتادم که می‌گفت ما منحرف نداریم.»

پریناز کمی خودش را روی نیمکت جابه‌جا کرد. «راست می‌گه بنده خدا. به این آدم‌ها که نمی‌گن منحرف. می‌گن مفسد فی‌الارض.»

سه تا پسر قد بلند روی سکوی مقابل آنها نشستند. ستاره کیفش را باز کرد و از لای زیپ کیفش خودش را توی آینه نگاه کرد.

یکی از پسرها چند لحظه‌ای به ستاره زل زد. پریناز گفت: «بیا اینم عشق زمینی خدا برات جور کرد.»

ستاره خندید و روی گونه‌هایش چال ریز قشنگی پیدا شد. پسر هم دوباره به ستاره نگاه کرد و لبخندی زد.

نادیا نگاهی به ساعتش انداخت. «اوه اوه اوستادو اومدو.»

پریناز از جایش بلند شد. «این چه لهجه‌ایه؟»

نادیا گفت: «شیرازو.»

ستاره لبخند از روی صورتش رفت. «تازه نشسته بودیم.»

پریناز نگاهی به پسر که دو دوستش هم داشتند می‌رفتند انداخت.

«نگران نباش ما می ریم. تو منتظر بمون بعد از کلاس می‌بینیمت.»

ستاره داشت بلند می‌شد. پسر با نگاهش اشاره کرد که بنشیند. «آخه من تنهایی خجالت می‌کشم.»

نادیا گفت: «بکش، نقاشیت خوب می‌شه.»

ستاره خندید. «پس اگه ندیدمتون خداحافظ.»

پریناز گفت: «مواظب خودت باش.»

پریناز و نادیا به طرف کلاس رفتند. دو پسر که روبه‌رویشان نشسته بودند نزدیکشان رسیدند. یکی از آنها گفت: «بچه‌ها بیاین ما هم با هم دوست‌شیم.»

نادیا گفت: «موش بخورتت تو رو کوچولو.»

پسر گفت: «چرا موش؟»

پریناز سرش را نزدیک نادیا برد و آهسته گفت: «دهن به دهن نشو باهاشون یه دفعه یه چیز بدی میگن.»

پسر ادامه داد. «بیا این شماره منه بهم زنگ بزن.»

نادیا شماره را گرفت. «باشه می‌ذارم توی کلکسیونم.» پریناز سعی کرد از آنها فاصله بگیرد. پسرِ دیگر به او نزدیک شد. «میتونم یه چیزی ازت بپرسم؟» پریناز جواب نداد و به طرف پله‌ها پیچید.

پسر بی‌توجه دنبالش کرد. «چرا این‌قدر بد اخلاقی؟»

پریناز برگشت. «می‌خواستم ببینم فضولم کیه.»

از پشت سرش صدای پسری دیگر آمد. «سلام!»

پریناز برگشت. نوید پشت سرش ایستاده بود. پسر بهت زده آن دو را نگاه کرد و بعد به طرف دوستش برگشت. پریناز گفت: «شما این

واحد رو پاس نکردید؟»

«چرا رفته بودم کتابخونه.» پریناز سرش را پایین انداخت.

نوید گفت: «تا شب.» بعد برگشت و دور شد.

نادیا به پریناز نزدیک شد. «نوید خیلی عوض شده. به هیچ دختری نگاه هم نمی‌کرد. حالا می‌ره و می‌آد با تو حرف می‌زنه. راستی چی شد فیلمنامه رو دادی بهش؟»

«استاد گفت بدم بهش. گفت نوید توی فیلمنامه نویسی تکه.» از پله‌ها بالا رفتند. استاد تازه آمده بود و داشت کاغذهایش را زیر و رو می‌کرد.

نادیا به طرف یکی از بچه‌ها که برایش دست تکان می‌داد رفت. پریناز چند تا صندلی آن طرف‌تر نشست. نادیا برگشت پیش پریناز. «پری بیا اونور بشین.»

«نه خوبه همین‌جا راحتم.» نادیا شانه‌هایش را بالا انداخت و پیش بچه‌ها برگشت. استاد کاغذی در آورد و شروع کرد به خواندن اسامی دانشجویان.

به اسم پریناز که رسید مکثی کرد. «مثل این که امروز شما کنفرانس دارید.» پریناز متعجب گفت: «نه استاد من کنفرانس ندارم.»

«من که بیخودی جلوی اسمتون علامت نمی‌زنم. قرار بوده کنفرانس بدید. یعنی آمادگی ندارید؟»

«من نمی‌دونستم امروز کنفرانس دارم. ولی اطلاعاتی دارم که می‌تونم راجع بهش صحبت کنم.»

«به هر حال من نمره شما را امروز می‌دم. چه کنفرانس بدید چه

ندید. پس بهتره تا جایی که می تونید اطلاعاتتون رو توی ذهنتون جمع کنید، تا بعد از درس آماده باشید.»

در طول کلاس، پریناز اطلاعاتش را روی کاغذ طبقه‌بندی کرد و اصلاً نفهمید که استاد راجع به چه چیزی حرف می زند. نوبت که به او رسید، کاغذش را برداشت و به جلوی کلاس رفت.

پریناز احساس می‌کرد همه حواسشان به تک‌تک تکان‌هایش است. باید خیلی مسلط تمام اطلاعاتش را برای دیگران اظهار می‌کرد و اگر کسی سؤالی داشت قادر به جواب گویی می‌بود.

کاغذی که آماده کرده بود کمک می‌کرد تا حافظه‌ی دستخوش هیجانش را کنترل کند...

سر تیترها را توضیح داد و به سؤالاتی که گاه از او پرسیده می‌شد، پاسخ می‌گفت. استاد در طول مدت کنفرانس ساکت بود و گاهی با تکان دادن سر حرف‌هایش را تأیید می‌کرد. وقتی پریناز به آخر کنفرانس‌اش رسید، برایش دست زد.

«که آماده کنفرانس نبودی؟»

پریناز همان‌طور که کاغذش را تا می‌کرد گفت: «فقط چیزهایی رو که خونده بودم براتون گفتم. در واقع به خاطر علاقه‌ام قبلاً چند تا کتاب خونده بودم و توی ذهنم مونده بود. مطمئناً مطالب بیشتری می‌شه گفت که من در موردش نمی‌دونم.»

استاد که به طرف جلوی کلاس می آمد گفت: «فکر کنم بتونم بهتون یک جلسه فوق‌العاده بدم.»

از کلاس که بیرون آمدند، نادیا خودش را به پریناز رساند.

«تو می‌دونستی من امروز کنفرانس دارم؟»

«یادم رفته بود. راستش خود استاد اون روزی که غایب بودی برات امروز رو مشخص کرد. قرار بود ما بهت اطلاع بدیم. اما یادمون رفت.»

«واقعاً یادتون رفت؟ همتون؟»

«خوب حالا واسه چی ناراحتی؟ تو که کنفرانست رو خوب دادی. لیسانست سینما بوده‌ها.»

«آره به لطف مطالعات قبلی و کمک خدا.»

توی محوطه ستاره نشسته بود و پسری که قبل از کلاس دیده بودند هم مقابلش ایستاده بود. ستاره، پریناز و نادیا را که دید، از جایش بلند شد، سری برای پسر تکان داد و به طرف آن دو آمد.

«کلاس چطور بود؟» چهره‌اش می‌درخشید و لبخند تمام صورتش را گرفته بود.

پریناز دمغ گفت: «به لطف دوستان خوب بود. تو چه خبر؟ تعریف کن.»

«اسمش کامرانه. معماری می‌خونه و ورودی همین امساله.»

ستاره کاغذی را که شماره کامران در آن نوشته شده بود نشان پریناز داد: «بهش گفتم نمی‌تونم بهش زنگ بزنم ولی با اصرار این رو بهم داد.»

«خوب حالا می‌خوای چکار کنی؟»

«هیچی دیگه، بهش زنگ نمی‌زنم.»

«البته تا اونجایی که من دستگیرم شده پسرها دنبال دست نیافتنی‌ها می‌گردن. می‌رن بالای یک کوه بلند تا یه گلی که مثل اون پایین کوه فراوونه پیدا کنن و خیلی هم به کارشون افتخار می‌کنن. به هر حال

خودت می‌دونی. من نظری نمی‌دم. اگرم می‌خوای باهاش حرف بزنی به قصد دوستی حرف نزن. سبک و سنگینش کن ببین اصلاً اخلاق و مَنِشتون با هم سازگار هست یا نه. بعد اگه سازگار بود سعی کن خودت رو کنار بکشی تا اون به طرفت بیاد. ولی من اگه جای تو بودم از اول می‌ذاشتم ببینم چقدر تمایل داره که به طرفم بیاد.»

ستاره توی فکر بود. «کلاستون تموم شد؟»

«آره دیگه. زنگ خونه است.» پریناز لبخندی زد.

نادیا کمی جلوتر با چند تا از همکلاسی‌هایشان ایستاده بود و حرف می‌زد.

ستاره و پریناز به طرف نادیا رفتند.

«ما داریم می‌ریم خونه.»

نادیا سرش را برگرداند. «خبر امشب رو بهم می‌دی دیگه؟»

«اگه خبری باشه.»

هیاهوی درونمان گاهی طغیان می‌کند. حال‌وروزمان را خودمان هم نمی‌فهمیم. کارهایی می‌کنیم که نمی‌دانیم چرا؟! و همین ندانستن‌ها کار دستمان می‌دهد. زمانی متوجه می‌شویم که میان زمین و آسمان معلق مانده‌ایم. اگر بیشتر از واقعیت فاصله بگیریم و دورتر شویم؛ سقوطمان شکننده‌تر و دردناک‌تر خواهد شد.

فصل ششم

مسعود چمدانش را می‌بست. شهرزاد خوراکی‌هایی را که آماده کرده بود، به دستش داد.

«می‌ذاشتی من برات چمدونت رو مرتب می‌کردم.»

مسعود آنها را داخل چمدان جا داد. «مگه بد مرتب می‌کنم؟»

تلفن زنگ زد.

مسعود همان‌طور که در چمدان را می‌بست گفت: «ببین کیه؟»

شهرزاد از جایش تکان نخورد.

«شاید با من کار داشته باشن.» مسعود برگشته بود و به شهرزاد که بی‌حرکت سر جایش ایستاده بود نگاه می‌کرد.

«خوب پس خودت جواب بده.» شهرزاد این را گفت و به طرف چمدان رفت. «بده من می‌بندمش. تو تلفن رو جواب بده.»

مسعود از اتاق بیرون رفت. «یادم بنداز یه تلفن برای تو اتاق بخرم... الو الو...» مسعود به اتاق برگشت.

شهرزاد که در چمدان را بسته بود و داشت چمدان را کنار در اتاق می‌کشید، پرسید: «خُب کی بود؟»

«صدا نیومد و قطع شد. شماره‌شم نیفتاد.»

شهرزاد به چمدان خیره شده بود. «کی بر می‌گردی؟»

«هر وقت تونستم. خدا رو چه دیدی شاید فردا برگشتم.»

شهرزاد سرش را بالا آورد. «جدی؟ پس برای چی می ری؟»

«گفتم شاید.»

«این کارت حساب و کتاب نداره که یه روز می ری فرداش شاید برگردی؟»

مسعود چمدان را برداشت و به طرف در حرکت کرد. «می‌دونی که نداره.» مسعود چمدان را زمین گذاشت و برگشت به طرف شهرزاد. «چیزی خواستی بهم زنگ بزن.» دست‌هایش را دور کمر شهرزاد حلقه کرد. «زود برمی‌گردم. خب؟»

شهرزاد سرش را تکان داد و به زمین خیره شد.

چیزی نگذشت که مسعود رفت و شهرزاد تنها شد. تلفن را برداشت و به طرف مبل راحتی رفت و خودش را روی آن انداخت. شماره گرفت. دستانش می‌لرزید. دلش شور می‌زد. صدایی شنید. بلند شد و به طرف در رفت و در را باز کرد. کسی نبود. از پنجره کوچه را نگاه کرد. مسعود واقعاً رفته بود. تلفن زنگ زد. لرزید. «الو... سلام... مگه نگفتم خونه زنگ نزن... امروز تا دوازده... بعدش که پویا می‌آد خونه... باشه، می‌بینمت پس.»

لباس‌هایش را به سرعت پوشید. کمی منتظر شد و به ساعت دیواری خیره شد. چند بار از جا بلند شد و دوباره نشست. بلند شد. پاهایش را روی زمین کشید. از خانه خارج شد و به سمت اتوبان رفت. ماشین یشمی‌رنگ را دید. نگاهش به چپ و راست چرخید. سینه‌اش

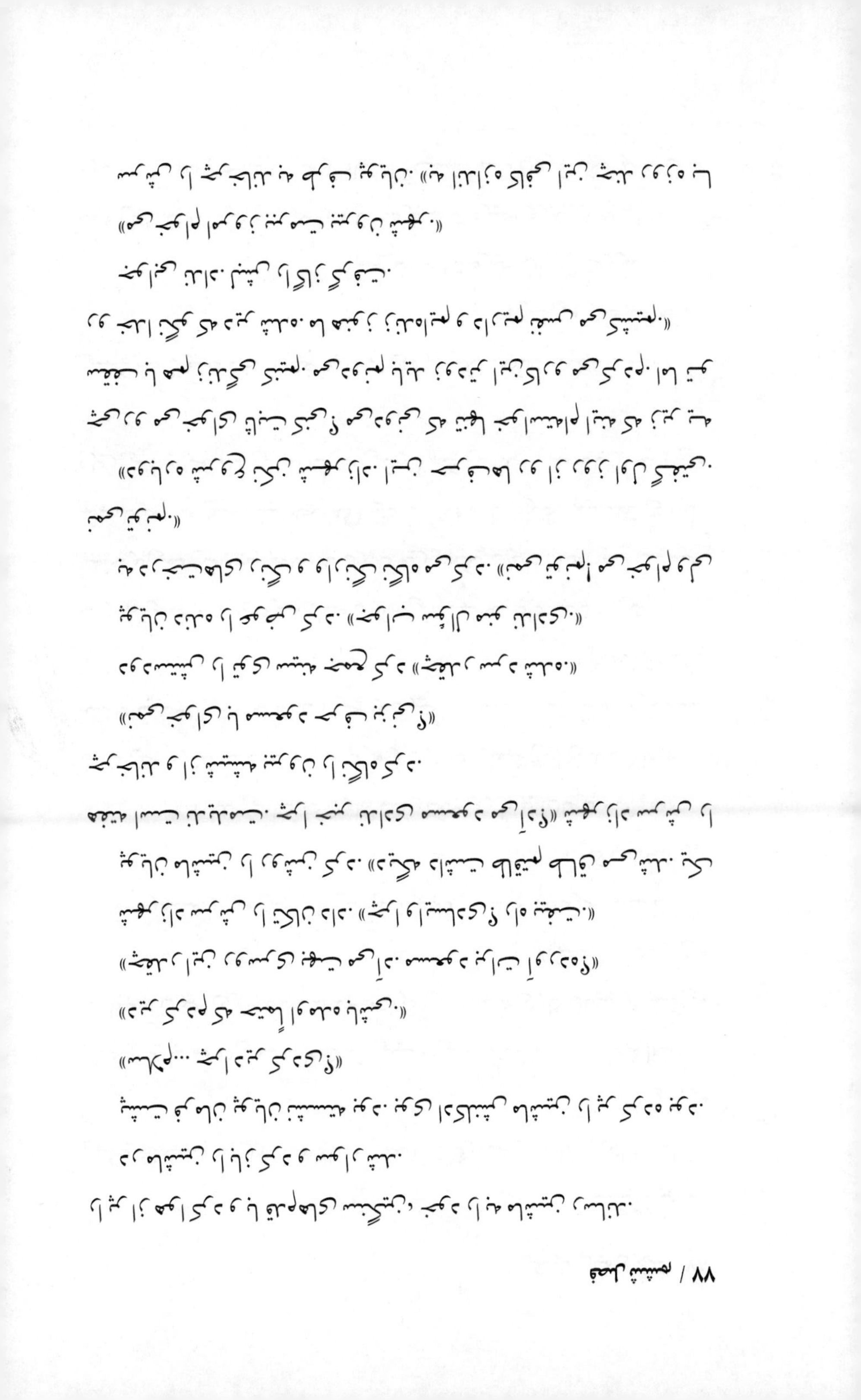

مسعود گشتم.»

ابروهای پویان در هم رفت. «یعنی حالا من رو با مسعود یکی می‌کنی؟»

«نه! منظوری نداشتم. ولی خیلی کلافه‌ام. نمی‌دونم دارم چکار می‌کنم. از پنهان کاری دلم آتیش گرفته. خیانت باید توی خون آدم باشه من اینکاره نیستم.»

«تقصیر خودته. چند بار گفتم تمومش کن. بین من و مسعود یکی رو انتخاب کن.»

«نمی‌شه پویان! پویا رو چکار کنم؟ اون که گناهی نداره.»

«حالا دیدی این شعارا که «زن و مرد هر دو به یک اندازه حق دارن نسبت به زندگیشون تصمیم بگیرن و چرا زن نتونه حق انتخاب داشته باشه» کشکه؟»

سرش را تکیه داد به صندلی. «اون مال موقعیه که قانونم ازت حمایت کنه. اصلاً قانون یکجوریه که زن به خاطر بچه‌اش نمی‌تونه هر طوری تصمیم بگیره. تازه فکر کردی اگه بچه پیش من می‌موند دلم می‌اومد از بابائیش جداش کنم؟ وقتی می‌گه بابائی دلم هری می‌ریزه پایین.»

«خوب همینه دیگه. فکر کردی مردا به غیر از خودشون به کسی دیگه هم فکر می‌کنن؟»

به صورت پویان خیره شده. «تو هم؟»

پویان به روبه‌رو خیره شده بود. دنده را عوض کرد. «منم. این همه سال به تو فکر کردن بسم نیست؟ اشتباه از من بود. حق داری. اما باور

کن اگه از عشقم مطمئن نبودم هیچ وقت وارد این بازی نمی‌شدم. مگه تونبودی که یه شبو بدون این که خواب منو ببینی سر نمی‌کردی؟ مگه تو نبودی که برای فرار از من، زن مسعود شدی؟ خوب حالا من اومدم. حالا این تویی که باید انتخاب کنی؛ نه من. من این جا منتظرم و جایی نمی‌رم.»

شهرزاد به روبه‌رو خیره شده بود. «نمی‌دونم پویان. پاک قاطی کردم. دیگه نمی‌دونم.»

پویان پیچید کنار اتوبان. «اِه پویان چه کار می‌کنی؟»

پویان کنار اتوبان، ماشین را خاموش کرد. چند ماشین با بوق ممتد از کنارشان عبور کردند. پویان سرش را گذاشت روی فرمان ماشین. «پویان ببینمت. ادای فیلم‌های فارسی رو درنیار. این کارا چیه می‌کنی؟»

شانه‌های پویان می‌لرزید. «شهرزاد این کارو با من نکن. دیوونه می‌شَما.»

دستش را روی شانه‌های پویان گذاشت. «مگه من چی گفتم؟»

پویان سرش را روی فرمان به طرف شهرزاد چرخاند. «منو دوست نداری.»

«نگفتم ندارم گفتم نمی‌دونم.»

ماشین پلیس پشت سر ماشینشان نگه داشت. «پاشو پویان پلیس اومد. نکنه بهمون گیر بده.»

افسر پلیس پیاده شد و به طرف ماشین آمد. «چیزی شده این جا توقف کردین؟»

پویان هنوز سرش روی فرمان بود. شهرزاد همان‌طور که دستش

روی شانه‌های پویان بود گفت: «یه کم حالش بد شد. مجبور شدیم این جا نگه داریم.»

«آمبولانس لازم ندارین خبر کنم؟»

پویان سرش را آرام از روی فرمان بلند کرد و با صدای گرفته گفت: «نه قربان! اگه خوب نشدم، خانومم رانندگی بلده می‌تونه ببرتم.»

افسر پلیس برگشت و به طرف ماشینش رفت و از کنارشان عبور کرد. «بریم پویان. بریم همون‌جایی که گفتی.»

پویان ماشین را روشن کرد. در هم بود. هر از چند دقیقه یک بار بدوبیراهی می‌گفت و شهرزاد که می‌پرسید چه می‌گوید، جواب سر بالا می‌داد.

به طرف پارک جنگلی پیچیدند. «می‌خواستی بری خارج از شهر.»

«دیگه دیر شد. پویا می‌آد خونه و تو باید خونه باشی.»

«چقدر با ملاحظه شدی!»

«بودم. همیشه. فکر کردی منم خوشم می‌آد بچه‌ات ازت دور بشه. هر شب به این موضوع فکر می‌کنم. می‌ترسم وقتی این اتفاق بیفته ازم متنفر بشی.»

شهرزاد چیزی نگفت. ساکت و آرام از ماشین پیاده شدند. همه جا پر از برگ بود و پاهایشان را که روی برگ‌ها می‌گذاشتند، صدای خش‌خش خردشدنشان با صدای باد قاطی می‌شد. در کنار هم قدم برمی‌داشتند.

شهرزاد گفت: «پویان من نمی‌تونم با مسعود حرف بزنم. اگه هم بزنم واسه این نیست که بیام و با مرد رؤیاهام ازدواج کنم. باید بهش

بگم چه احساسی دارم و باز باهاش می‌مونم. می‌دونی به خاطر پویا. به خاطر بچه‌ای که حتی نمی‌خواستمش. نه که ناشکری کنم. خدا می‌دونه چقدر این وروجک رو دوستش دارم. تو هم باید سراغ زندگی خودت بری. ما از اول نباید بهم می‌رسیدیم.»

پویان دست‌هایش را توی جیبش فرو برده بود و گوش می‌داد. چشم‌هایش روی برگ‌های خشک روی زمین خیره مانده بود.

«چیزی نمی‌خوای بگی؟»

پویان باز هم جوابی نداد.

«دچار دوگانگی شدم. بعضی وقت‌ها از خودم هم بدم می‌آد. تکلیفم مشخصه؛ من نمی‌تونم خیانت کنم. همین چند ماهی هم که تو اومدی سراغم، هم رؤیا بود و هم عذاب. درسته که روحم هر جا می‌تونه بره. می‌تونه هر شب خواب تو رو ببینه. درسته که با تمام وجود می‌خوام پیش تو باشم. اما پویا یه‌نشونه است، واسه این که بفهمم چقدر می‌تونم سنگدل و خودخواه باشم. نمی‌دونم اگه خدا یه روزی خواست. اگه هیچ مانعی بین من و تو نبود اون وقت چه تصمیمی می‌گیرم. اما می‌دونم که الان نمی‌شه. این بیشتر شبیه کابوسه. یه برزخ واقعی.»

اشک توی چشم‌های پویان حلقه زده بود. دندان‌هایش را روی لبش فشار می‌داد.

«می‌دونم که من مقصرم. قبل از این که تو با مسعود ازدواج کنی موقعیتشو نداشتم. خودت خوب می‌دونی. بعد از ازدواجتم مدت‌ها فکر می‌کردم تو هم مسعود و دوست داری. بعد از یکی از دوستات شنیدم که... چکار می‌تونستم بکنم. تموم این سال‌ها فقط غصه خوردم.»

«گفتی و من باور نکردم. هیچ وقت از کار شما مردا سر در نمی‌آرم. چطور قبلاً رضایت دادی و بعدش پشیمون شدی؟ چرا این‌قدر دیر؟»

«می‌خوای تمومش کنی تمومش کن. اما من چیزیو شروع نکردم که بخوام تمومش کنم. تا آخر عمرم هم پاش وایسادم.»

پارک خلوت بود. ردیف ردیف صندلی‌های خالی کنار هم چیده شده بود. زنی از کنارشان عبور کرد. زن خیره نگاهش می‌کرد. دست‌هایش را توی سینه جمع کرد. سرش را انداخت پایین. چند قدم از پویان فاصله گرفت. سنگینی نگاه زن را هنوز احساس می‌کرد.

پسر بچه‌ای همراه مادرش توی پارک می‌دوید. از جلوی آنها که عبور می‌کردند، پسر به شهرزاد نگاهی کرد و لبخند زد. شهرزاد دو دستش را توی سینه‌اش فشرد و آب دهانش را به سختی قورت داد.

زمزمه کرد: «چقدر شبیه پویا بود.» باد خنکی گونه‌هایش را نوازش کرد. ناخن‌هایش را روی بازوانش کشید.

شهر تبدیل به قوطی‌های پر از سوراخ شده است. از آن بالا که به شهر نگاه می‌کنی، توی دلت خالی می‌شود. تو هم توی همان قوطی‌ها زندانی هستی. حالا دیگر بچه‌ها کمتر خاطره دویدن توی حیاط خانه‌شان، آب بازی توی حوض، گِل بازی توی باغچه را دارند. اگر برایشان تعریف کنی که وقتی بچه بودی به جای این که جلوی صفحه مونیتور بنشینی و دکمه‌های کی‌بورد را فشار دهی، وسط باغچه گل درست می‌کردی و با آن شهر و مجسمه و هر چه که توی مغزت می‌آمد می‌ساختی؛ متعجب نگاهت می‌کنند. انگار از جای دیگری آمده باشی. درست مثل زمانی که کودک بودی و با دهان باز خاطره‌های مادر و مادربزرگ‌هایت را می‌شنیدی. تازه می‌فهمی که چه طور فاصله بین آدم‌ها بیشتر و بیشتر می‌شود. یک روز خاطره‌های تو هم تبدیل به قصه می‌شود.

فصل هفتم

نسرین روی صندلی نشسته بود و به ساعت روی دیوار نگاه می‌کرد. منشی دکتر که با تلفن صحبت می‌کرد با شنیدن صدای زنگ نگاهش را به طرف نسرین چرخاند. «می‌تونید تشریف ببرید داخل.» نسرین کیفش را روی شانه‌اش مرتب کرد و به طرف اتاق رفت. دکتر از جایش بلند شد و صندلی را به نسرین نشان داد. نشست روی صندلی.

دکتر کمی خود را روی میز به جلو خم کرد. «خوب چه کاری از دست من برمی‌آد؟»

نسرین روی صندلی جابه‌جا شد و دستش را گذاشت روی شکمش. «شِکمم. می‌خوام هم کوچیک بشه هم صاف و صوف.»

«من که شِکمی نمی‌بینم. روی تخت دراز بکشید تا معاینتون کنم.»

نسرین روی تخت دراز کشید و دکمه‌های روپوشش را باز کرد.

دکتر عینکش را به چشم زد و به طرف تخت آمد. «خوب خیلی ساده است. فکر کنم یک ساعته بشه همه چیز رو درست کرد. مشکل چندانی نمی‌بینم. هر چند خود من این خط‌ها رو خیلی دوست دارم.»

نسرین لبخند زد.

«این خط‌ها یعنی این‌که حداقل یه بچه خوشگل توی خونه‌تون دارید.»

«دو تا.» بعد زمزمه کرد. «سه تا.»

دکتر به طرف میزش برگشت. «پسرن یا دختر؟»

«هر دو.»

دکتر لبخندی زد. دفترش را باز کرد و چیزهایی نوشت. «کی می‌خواین باشه؟»

نسرین دکمه‌هایش را می‌بست. «هر چه زودتر، بهتر.»

«برای شنبه هفته آینده یک وقت خالی هست. می‌خواین با منشی هماهنگ کنید تا وقت قبل از عملتون و وقت عملتون رو مشخص کنه.»

نسرین تشکر کرد و از در اتاق خارج شد. منشی هنوز داشت با تلفن حرف می‌زد. صدای زنگ آمد و کسی دیگر را توی اتاق فرستاد. پسر بچه‌ای همراه مادرش روی صندلی نشسته بود. نصف صورتش باند پیچی شده بود. با منشی هماهنگ کرد و از در مطب خارج شد. زنی که روی دماغش چسب زده بود، توی راهرو با نسرین رو در رو شد. نسرین خواست کنار بکشد و به راهش ادامه دهد اما زن صدایش کرد: «نسرین!»

متعجب برگشت.

«نشناختی؟»

نسرین چشم‌هایش را تنگ کرد. «نه! ببخشید.»

«ماندانام.»

نسرین به طرف ماندانا آمد و در حالی که بهت‌زده نگاهش می‌کرد، گفت: «خیلی عوض شدی؛ نشناختمت.»

ماندانا چرخید. «حق داری کلی عوض شدم.»

نسرین به سر تا پای ماندانا نگاه کرد. «چقدر پول خرج کردی؟»

«تا دلت بخواد. همه جام رو عوض کردم. خوب شدم؟»

نسرین به گونه‌ها و لب‌های برجسته و دماغ چسب‌دار ماندانا نگـاه کرد.

«آره! از کی کپی کردی؟»

«حدس بزن؟»

«لابد آنجلینا جولی.»

ماندانا چشمکی زد. «تو این جا چکار می‌کنی؟»

نسرین به شکمش اشاره کرد.

«شماره‌ت رو ندارم.»

ماندانا موبایلش را در آورد. نسرین شماره‌اش را گفت و ماندانا توی موبایلش وارد کرد. وقتی خداحافظی می‌کردند، نسرین هنوز بهت‌زده بود.

در راه به ماندانای قدیمی فکر کرد؛ دختر ساده و خوبی بود، قیافه معمولی و ساده‌ای داشت. نمی‌شد ایرادی از قیافه‌اش گرفت امـا چـیز چشمگیری هم نداشت. اما حالا هیچ قابل قیاس با ماندانا نبود. آن‌قدر فرق کرده بود که آدم فکر می‌کرد، به کلی تغییر قیافه داده تا شـناسایی نشود. دختر بچه‌ای درست جلوی ماشینش بود. پایش را روی تـرمز فشار داد. نفهمید چطور دختر آن جا سبز شده بود. مادر دختر دویـده بود و دختر را در آغوش گرفته بود و به نسرین نگاه مـی‌کرد. دهـانش می‌جنبید. از جلو ماشین کنار رفتند. نسرین دوباره راه افتاد. نگاهی به ساعتش انداخت. می‌خواست بپیچد که ماشین فرهاد را دید کـه دم در

خانه‌ای پارک شده بود پایش را گذاشت روی ترمز. از آینه بغل شماره ماشین را چک کرد. عروسک پشت شیشه، شک نداشت که خودش بود. با دست‌های خشک شده و چشم‌های از حدقه درآمده‌اش به ماشین فرهاد خیره شده بود. به سختی، نگاهی به ساعتش انداخت. وقت تعطیلی مدرسه بود. پایش را روی گاز فشار داد. ماشین از جایش کنده شد. بدنش می‌لرزید.

جلو مدرسه، سیاوش و سروش دست در دست هم به طرف ماشین آمدند. سروش در را باز کرد و سوار شد. سیاوش هم به دنبالش.

سروش بلند گفت: «سلام مامانی.»

نسرین که انگار تازه متوجه وجود بچه‌ها شده بود، سرش را برگرداند و جواب سلام سروش را داد.

سروش با حرارت گفت: «امروز نمی‌دونی داداشی چیکار کرد. یکی از بچه‌های بد مدرسه رو ادب کرد. پسره همیشه بچه‌های دیگه رو اذیت می‌کنه. داداشی ادبش کرد.»

نسرین ماشین را روشن کرد بدون این که فهمیده باشد گفت: «آهان!»

«اصلاً گوش می‌دی مامانی؟ می‌گم من داداشی رو دوست دارم.»

«باشه.»

سروش خودش را به صندلی چسباند و دست‌هایش را توی سینه گره کرد و ابروهایش را در هم کشید. سیاوش از توی آینه چشم‌های نسرین را وارسی می‌کرد.

نسرین یکباره کنار خیابان نگه داشت. سروش از پهلو روی

سیاوش افتاد. نسرین کیفش را باز کرد و موبایلش را در آورد. سیاوش، سروش را محکم توی بغلش گرفت. نسرین موبایل را دم گوشش گذاشت. دوباره پایین آورد و نگاهی به صفحه موبایل کرد. چند بار این کار را تکرار کرد. بعد آن را در حالی که اخم‌هایش در هم بود و لبش می‌لرزید توی کیفش انداخت و ماشین را روشن کرد. سیاوش و سروش، ساکت بودند و به حرکات عصبی نسرین نگاه می‌کردند.

سروش آهسته توی گوش سیاوش گفت: «مامان چش شده؟ از دست من عصبانیه؟»

سیاوش هم آهسته جواب داد: «نه!»

از پله‌ها که بالا می‌رفتند. نسرین انگار از خواب بیدار شده باشد؛ ایستاد. کمی پایین و کمی بالا را نگاه کرد. سیاوش و سروش دم در آپارتمان ایستاده بودند و نسرین را که پایین پله‌ها ایستاده بود و انگار نمی‌دانست که آن جا چه می‌کند نگاه می‌کردند.

سروش صدا زد: «مامان من باید برم تو.» بعد روی پاهایش شروع کرد به بالا و پایین پریدن.

نسرین یکبار دیگر پشت سرش را نگاه کرد و در حالی که کلید را در می‌آورد از پله‌ها بالا رفت. کلید را انداخت داخل قفل. سروش خودش را داخل اتاق انداخت و به طرف توالت دوید. سیاوش کیف مدرسه‌اش راکنار در ورودی گذاشت و مات و مبهوت به نسرین که هنوز گیج دور خودش می‌چرخید چشم دوخت. نسرین به طرف تلفن رفت، چند بار شماره گرفت و دوباره با عصبانیت گوشی تلفن را گذاشت. بعد به طرف اتاق خواب رفت و بدون این که به سیاوش نگاه کند و پاسخ

نگاه‌های پرسشگرانه او را بدهد، گفت: «من خسته‌ام، غذا روی گازه با برادرت بخورش و بعد هم مشق‌هاتون رو...» جمله‌اش تمام نشده بود که در اتاق را پشت سرش بست و تا شب که فرهاد خانه آمد، در اتاق باز نشد.

هزار جور فکر توی سرش می‌چرخید. به تک‌تک فکرهایش بدوبیراه می‌گفت. ماشین فرهاد، توی یکی از کوچه پس کوچه‌های محله خودشان، که به طور اتفاقی آن روز از آن جا عبور کرده بود چه می‌کرد؟! و اگر به فرض هم دفتری چیزی این نزدیکی‌ها بود که فرهاد به آن رفت‌وآمد می‌کرد چطور تا به حال چیزی راجع به آن نگفته بود. بعد دوباره به خودش بدوبیراه گفته بود و شک کرده بود که شماره ماشین را درست دیده باشد. حالا که درست فکر می‌کرد، یادش نمی‌آمد که شماره همان بوده یا نه! اما وقتی یاد عروسکی که پشت شیشه ماشین گذاشته بود افتاد، دوباره همان افکار منفی به مغزش هجوم آورد. همان کاسه. بعد از کلی فکر و گرفتن چند باره شماره فرهاد، از زور خستگی خوابش برد. خواب که نه! کابوس. صحنه‌های درهم و برهم. قرمز، زرد چرک، کبود و سیاه از جلو چشم‌هایش عبور می‌کردند. صدای قهقهه‌های زنی بدکاره توی گوشش زنگ می‌زد. فریاد می‌کشید.

با صدای باز شدن ناگهانی در، از خواب پرید. فرهاد در چارچوب در ایستاده بود و نگاهش می‌کرد.

«چقدر می‌خوابی؟ بچه‌ها می‌گن ظهر یکراست اومدی توی اتاق.»

نسرین نشست و سرش را توی دستش گرفت: «یه کم سرم درد می‌کرد.»

«پاشو پاشو که من گرسنمه.»

«غذا نخوردی اومدی؟»

«نه! باید می‌خوردم؟»

نسرین زیر لب استغفاری گفت: «نه! گفتم شاید مثل همیشه...» حرفش را نیمه تمام رها کرد.

فرهاد بی‌توجه کتش را از تنش درآورد.

«موبایلت رو جواب نمی‌دادی چرا؟»

«توی ماشین جا گذاشته بودم.»

نسرین چیزی نگفت و از اتاق خارج شد.

غذا که می‌کشید، فرهاد مثل همیشه روزنامه‌اش را دستش گرفته بود و روی مبل مشغول خواندن آن بود.

نسرین بچه‌ها را صدا کرد. سروش بالا و پایین پران به طرف آشپزخانه آمد: «مامانی خوب شدی؟»

نسرین به صورت گرد و چشم‌های منتظر سروش نگاه کرد. «آره پسرم. خوب شدم. بدو برو بابایی رو صدا کن بیاد غذا بخوره.»

سیاوش ورجه ورجه کنان به طرف فرهاد رفت. چند دقیقه بعد همه پشت میز غذاخوری نشسته بودند. همه جا ساکت بود. نسرین گاه نیم‌نگاهی به فرهاد می‌انداخت اما فرهاد بی‌توجه در فکر فرورفته بود. نور چراغ، درست بالای سر فرهاد، صورتش را نورانی می‌کرد.

نسرین سکوت را شکست. «کارای شرکت کمتر شده؟»

«نه! همون‌طوریه.»

«پس یعنی ممکنه فردا شب دیر بیای؟»

«حالا تا فرداشب.»

سیاوش سرش را زیر انداخته بود و آرام غذا می‌خورد. سروش صورتش را از نسرین به فرهاد و از فرهاد به نسرین می‌چرخاند.

نسرین به سروش اشاره کرد. «بخور غذاتو سروش!»

سروش قاشق را برداشت و دوباره مشغول خوردن شد. بعد از شام فرهاد و نسرین روی مبل نشستند و تا زمانی که بچه‌ها بودند ساکت و آرام گذشت. تنها که شدند، نسرین دوباره سؤال‌هایش را پرسید؛ سؤالاتی همیشگی و بی‌جواب. «امروز مأموریتی چیزی داشتی؟»

«نه!»

«بیرونم نیومدی؟»

فرهاد کلافه روزنامه را بست و به طرف نسرین برگشت. «سؤال اصلیت رو بپرس.»

نتوانست و سؤال دیگری پرسید: «ماشینت رو هم به کسی قرض ندادی؟» فرهاد روزنامه را روی میز کوبید. «من می‌رم بخوابم.»

به اتاق بچه‌ها نگاه کرد. «یواش بیدار می‌شن.»

فرهاد همان‌طورکه به طرف اتاق می‌رفت گفت: «این رو قبل از این که منو عصبانی کنی باید فکرش رو می‌کردی.»

ساکت شد. به اتاق که رفت. فرهاد خوابش برده بود. لباس خوابش را پوشید و آرام سُرخورد زیر لحاف. دستش را روی کمر فرهاد گذاشت. فرهاد تکانی خورد. دستش را پس کشید. برگشت و رو به دیوار خوابید.

صبح نسرین زود از خواب بیدار شد. آب پرتقال آماده کرده بود.

تخم‌مرغ آبپز و نان تُست هم روی میز مهیا بود. فرهاد از خواب که بلند شد، یکراست رفت و نشست پشت میز. آب پرتقال را سرکشید. «بیخودی چرا این همه چیز آماده کردی. حروم می‌شن.»

نسرین لبخندی زد. «نگران نباش الان سروش همه‌اش رو می‌خوره. بچه‌ها رو هم امروز تو ببر مدرسه.»

«ای بابا می‌دونی که من کار دارم!»

«منم وقت دکتر دارم، باشگاه دارم و...»

«از اول گفتم براشون سرویس بگیر گوش نکردی.»

«نگران نباش همین فردا سرویسی‌شون می‌کنم.»

سیاوش و سروش وارد آشپزخانه شدند. فرهاد اخم‌هایش را توی هم کرده بود.

«یالا صبحونتون رو بخورین دیرم می‌شه.»

سروش بالا پرید. «آخ جون مثل بابای پدرام. منو می‌بری مدرسه.»

نسرین به سروش و سیاوش که خوشحال بودند، نگاه کرد و لبخند زد. «آره پسرم مثل بابای پدرام.»

سروش همان‌طور که تندتند لقمه‌ها را در دهانش می‌گذاشت گفت: «هر روز؟»

فرهاد خودش را روی صندلی جابه‌جا کرد. «نه همین امروز. بعدشم قراره سرویسی بشین.»

سروش به طرف مادرش چرخید. «آره مامان؟» نسرین با سر تأیید کرد.

سیاوش پرسید: «چرا؟ اونوقت کلی طول میکشه برسیم خونه.»

«نه عزیزم اون‌قدرا هم فرقی نمی‌کنه. منم به کارهام می‌رسم.»

سروش لیوان شیر را سر کشید. «آخ جون!»

فرهاد به ساعتش نگاه کرد. «زود باشین.»

سروش نگاهی به پنجره انداخت. «هنوز که شبه.»

نسرین که میز را جمع می‌کرد گفت: «هوا ابریه شب نیست.»

در را که پشت‌سرشان بست، لبخند از روی لبش محو شد. دم پنجره رفت. وقتی ماشین فرهاد پیچید و دیگر دیده نشد، برگشت و لباس‌هایش را پوشید. تلفن را برداشت و شماره گرفت. «سلام شراره. تنهایی؟ می‌آی با هم جایی بریم؟... باشه پس می‌آم دنبالت.»

شراره که سوار ماشین شد، فهمید اتفاقی افتاده. چشم‌های گرد شده‌اش روی نگاه‌های گریزان و قیافه آشفته نسرین می‌چرخید. «چی شده نسرین این چه وضعیه برای خودت درست کردی؟»

نسرین ماشین را روشن کرد و پایش را محکم روی گاز فشار داد. شراره کمربندش را به سختی بست. دستش را محکم به دستگیره در ماشین گرفته و تنش را محکم به صندلی چسبانده بود.

«می‌شه بگی چی شده؟»

نسرین دنده را عوض کرد و با سرعت زیاد پیچید.

«می‌خوام با چشمای خودم ببینم.»

«می‌شه بگی چی رو؟»

پایش را روی ترمز گذاشت. سرش را چرخاند به جایی که دیروز ماشین فرهاد را دیده بود، خیره شد. ماشین پژو سبز رنگی آن جا توقف کرده بود. سعی کرد با چشم‌هایش ماشین پوست‌پیازی فرهاد را پیدا

کند و پیدا نکرد. شراره مبهوت حرکت‌هایش را دنبال و نگاهش را تعقیب می‌کرد. «شاید هنوز نیومده صبر می‌کنیم این‌طوری بهتره.»

«بگو دنبال چی می‌گردی منم حواسم باشه.»

نسرین همان‌طور که به خیابان خیره شده بود، گفت: «فرهاد.» بعد توی آینه ماشین رنگ روشنی دید که جلو می‌آمد. اما کمی نزدیک‌تر که شد فهمید که اشتباه کرده است. تا نزدیک‌های دوازده آن‌جا ایستاده بودند و خبری نشد.

شراره به ساعتش نگاه کرد. «الان مدرسه‌ها تعطیل می‌شن. بهتره بریم خونه.»

نسرین کلافه ماشین را روشن کرد. «مزاحمت شدم. می‌خواستم مطمئن بشم مالیخولیایی نیستم. همیشه فکر می‌کردم اشتباه می‌کنم.»

«نه این طور نیست. فقط کمی گیج شدم.»

«بعداً بیشتر برات توضیح می‌دم.» با این جمله بحث را عوض کرد.

شراره را رساند و به مدرسه سیاوش و سروش رفت. هنوز تعطیل نشده بودند. با مسئول سرویس مدرسه صحبت کرد تا سیاوش و سروش را هم ثبت نام کنند.

سیاوش و سروش از مدرسه بیرون آمدند. نسرین آن دو را به راننده سرویس معرفی کرد و گفت که از فردا با سرویس به مدرسه می‌روند و برمی‌گردند. سروش از خوشحالی بالا و پایین می‌پرید و به بچه‌های همکلاسی‌اش که توی سرویس‌شان بود وعده و وعید می‌داد.

نسرین سعی کرده بود قیافه‌اش را سر و سامان دهد تا از نگاه‌های تیز بین سیاوش که پرسش‌گرانه او را می‌پایید در امان بماند. اما سکوت

و بی‌دقتی نسرین دوباره توجه سیاوش را جلب کرد. نسرین راه را از محل کذایی به خانه کج کرد. وقتی به آن‌جا رسید. همه جا را دوباره وارسی کرد و چند دقیقه‌ای همان‌جا ماند. سیاوش که از توی آینه چشم‌های مادرش را می‌پایید، پرسید: «چی شده مامان؟ منتظر کسی هستی؟ اصلاً چرا اینوری اومدیم؟ راهمون دور شد که.»

همان‌طور که اطراف را نگاه می‌کرد گفت: «می‌خوام عادت کنید دیرتر برسید خونه تا از فردا که با سرویس می‌آین کلافه نشین.» ماشین را روشن کرد و راه افتاد.

سیاوش پرسید: «نمی‌شد سرویسمون رو تاکسی می‌گرفتی؟ اون موقع زودتر می‌رسیدیم.»

«ازشون پرسیدم گفتند این موقع دیگه سرویس گیرم نمی‌آد و هیچ کدومشونم جای خالی ندارن.»

سروش که داشت از پنجره بیرون را نگاه می‌کرد بلند داد زد. «اِه ماشین بابائی!» نسرین پایش را روی ترمز فشار داد.

سروش روی سیاوش افتاد. «کو کجاست؟»

سروش که خودش را جابه‌جا می‌کرد گفت: «ته اون کوچه‌هه داشت می‌رفت.»

سیاوش گفت: «چاخان نکن الان بابا سر کاره.»

سروش لبش را جمع کرد. «نه خیر! چاخان نمی‌کنم خودم دیدمش.»

نسرین دنده عقب گرفت و به سر کوچه رسید. «کجا دیدیش؟»

سروش سرش را جلو آورد با انگشت نشان داد. «اون ته داشت می‌رفت.»

سیاوش نیشگونی از سروش گرفت. «از این‌جا تا اون ته چطوری تشخیص دادی ماشین باباست.»

نسرین پایش را دوباره روی گاز گذاشت و داخل کوچه شد. «ندیدی کدوم وری پیچید؟»

سروش سرش را تکان داد. «نه!»

سیاوش داد زد. «مامان جلوت رو نگاه کن.»

خیلی زود پیر می‌شوی. زودتر از آن‌که بفهمی. این جای خالی رؤیاهایت است که تو را پیر می‌کند. یک روز به دور و برت نگاه می‌کنی و می‌بینی، در خانه‌ای درندشت، تنها نشسته‌ای و چشم‌هایت روی تلفنی که هیچ وقت زنگ نمی‌زند، ثابت مانده. تلفن زنگ می‌زند، بلند می‌شوی و با دست‌های لرزان گوشی را برمی‌داری. صدای غریبه‌ای را می‌شنوی که اسمی غریب‌تر را صدا می‌زند. بدون آن‌که پاسخی بدهی، گوشی را سر جایش می‌گذاری. روی مبل راحتی می‌نشینی و دوباره به تلفن خیره می‌شوی.

فصل هشتم

گلچهره از خواب بلند شد. حمید نبود. از اتاق بیرون آمد. همه خانه را وارسی کرد تا مطمئن شود که حمید خانه نیست. چند وقتی بود که این کار را می‌کرد. روز به روز اضطرابش بیشتر می‌شد. خیلی از روزها حمید که حساسیت گلچهره را می‌دانست، جایی پنهان می‌شد و یک دفعه غافلگیرش می‌کرد. برای همین هم بود که هر صدای کوچکی که می‌آمد گلچهره منتظر بود، در کمدی باز شود و حمید با صداهای عجیب و غریب که از خودش در می‌آورد، از آن بیرون بیاید. وقتی به طور کامل خیالش راحت شد، پشت کامپیوترش نشست و شروع به نوشتن کرد. مدت‌ها بود که قصد داشت مقاله‌اش را تمام کند؛ اما همیشه رشته کار از دستش در می‌رفت. توی دلش خدا خدا می‌کرد که حمید دوباره مرخصی نگیرد. چند ساعتی گذشت. چنان غرق کار شد که اضطرابش از بین رفت.

دست حمید روی شانه‌اش قرار گرفت. فریاد بلندی کشید. حمید چند قدم عقب پرید. گلچهره قلبش را گرفته بود و نفس نفس می‌زد. حمید جلو آمد و زانو زد. دست گلچهره را که آویزان شده بود در دست گرفت. «ترسوندمت؟»

گلچهره زبانش بند آمده بود. چشم‌هایش را چرخاند به طرف حمید و خیره نگاهش کرد.

«من که سلام کردم. بلند گفتم من اومدم. تازه زود هم که نیومدم. ساعت رو نگاه کن.»

گلچهره چشم‌هایش را به طرف کامپیوتر چرخاند. زمان انگار از دستش در رفته بود. چند بار نفس عمیق کشید و سرش را گذاشت روی میز. اشک از گوشه چشم‌هایش سرازیر شد. حمید دست‌هایش را دور شانه‌های گلچهره حلقه کرد. «چرا گریه می‌کنی؟»

«نمی‌تونی بفهمی حمید. نمی‌تونی.»

حمید گلچهره را بین بازوانش فشار داد. «چرا این‌قدر از اومدن من می‌ترسی؟»

گلچهره با صدای آرام و لرزان گفت: «چون بی‌وقت می‌آی. چون قاعده نداری. چون سرزده می‌آی. چون می‌خوای غافلگیرم کنی. هنوز نمی‌دونی از غافلگیری بدم می‌آد؟»

حمید دست‌هایش را از دور شانه گلچهره برداشت. «باید ببرمت روان‌پزشک. هیچ آدم سالمی این‌طوری نمی‌شه که تو می‌شی.»

گلچهره سرش را از روی میز بلند کرد. «اگه بگه دیوونه‌ام هیچ تعجب نمی‌کنم! منو دیوونه کردی. دیگه نمی‌شه تحمل کرد.»

حمید خودش را عقب کشید. «حالا لازم نیست این وسط بُل بگیری. من دیوونت کردم؟ اگه کسی بخواد دیوونه بشه منم.»

«همین حالا بود که منو می‌خواستی ببری روان‌پزشک. می‌گفتی سالم نیستم.»

«گفتم سالم نیستی نگفتم دیوونه‌ای که!»

«خب به طور مثال اگه آقای دکتر بگه که شما باید یه خرده به زندگیت نظم بدی تا خانمت خوب بشه. شما حرفش رو گوش می‌کنی؟»

«این دکترا که چیزی حالیشون نیست. تازه از کجا می‌دونی دکتره خانم نباشه؟! نکنه کسی رو می‌شناسی؟ راستش رو بگو! رفتی پیش دکتر از دست من شکایت کردی؟»

گلچهره با بدن لرزان از جایش بلند شد. «باز شروع نکن حمید. یه طوری رفتار می‌کنی انگار توی دنیا من فقط زنم و همه مردا منتظرن که من رو از تو بدزدن.»

«خودت باعثش می‌شی. این ترسیدن‌های بی‌موردت. این بهونه‌گیری‌های الکیت، همش مثل رفتار آدم‌هاییه که یه چیزی رو پنهون می‌کنن.»

«خوب تو که این‌قدر به من شک داری چرا ولم نمی‌کنی؟ به خدا من اگه یه بار فکر کنم تو به زن دیگه‌ای فکر می‌کنی، یک دقیقه هم پیشت نمی‌مونم.»

«یعنی به من اعتماد داری؟»

«غیر از این چطور می‌تونم باهات زندگی کنم؟ اصلاً زندگی که همش توش شک باشه به چه دردی می‌خوره؟! تو هم با این شک‌هات اول از همه خودت رو از بین می‌بری، بعدم معلوم نیست من تا کی بتونم دووم بیارم.»

حمید سرش را به زیر انداخت و مثل بچه‌ای رام دست‌های گلچهره

را در دست‌هایش گرفت. «این‌طوری حرف نزن. می‌دونم اخلاقم بده. دست خودم نیست خیلی سعی می‌کنم عوض بشم ولی نمی‌شه... قول می‌دم آخرین حد سعی‌ام رو بکنم. باشه؟»

گلچهره نفس عمیقی کشید. «ببین حمید واسه خودت می‌گم من رو کلافه نکن برات گرون تموم می‌شه‌ها.»

«تو هم می‌شه از صبح تا شب منو تهدید نکنی؟ یه خُرده دوستم داشته باشی؟ این‌قدر اذیتم نکنی؟»

«ببین کی اینو می‌گه! دوست داشتن یعنی چی؟ اصلاً تو خودت چکار می‌کنی که نشانه دوست داشتنه؟ اون‌قدر نفس آدم رو بند می‌آری که آدم وقت نمی‌کنه دوستت داشته باشه.»

حمید به نفس نفس افتاد. «بسه!»

گلچهره چشم‌هایش را بست و زمزمه کرد: «آره بسه!»

حمید از جایش بلند شد و به طرف اتاق خواب رفت. گلچهره سرش را به طرف پنجره چرخاند. نور خورشید کمرنگ بود و زاویه‌دار. دست‌هایش را زیر سرش گذاشت. خوابش برد. کسی نمی‌دانست که به چه چیزهایی فکر کرده بود و چه خواب‌هایی دیده بود. بیشتر مواقع در خواب به آرزوهایش می‌رسید. برای همین هم بود که خوابیدن را دوست داشت. حمید درست فهمیده بود. خیلی چیزها داشت که از او مخفی می‌کرد. عشقهای زیادی داشت و افراد زیادی که از معاشرت با آنها لذت می‌برد. آن هم نه در دنیای واقعی بلکه در خواب‌هایش. اما هیچ وقت خواب‌هایش را برای حمید تعریف نمی‌کرد. می‌ترسید که خواب هم از او دریغ شود و حمید دیگر اجازه

خوابیدن هم به او ندهد.

وقتی بیدار شد، افق قرمز بود. دست‌هایش خواب رفته بودند. نمی‌دانست چند ساعت است که خوابیده. صبح بود یا داشت شب می‌شد؟! غم عجیبی در دلش نشست. می‌خواست فریاد بکشد و ناله کند. از جایش بلند شد. خانه ساکت و چراغ‌ها خاموش بود. به اتاق خواب رفت. حمید لباس‌های بیرونش را در نیاورده بود و روی تخت خوابیده بود. به آشپزخانه رفت تا قهوه‌ای درست کند.

قهوه درست کرد و مشغول نوشیدن قهوه شد. حمید در حالی که سرش را در دست گرفته بود از اتاق بیرون آمد و روبه‌روی گلچهره نشست. گلچهره بلند شد و قهوه‌ای برای حمید ریخت. حمید بی‌آن که به گلچهره نگاه کند یا چیزی بگوید، شروع به نوشیدن قهوه کرد. چند جرعه که سر کشید، شانه‌هایش شروع به لرزیدن کرد. فنجانش را روی میز گذاشت. آرنج‌هایش را به میز تکیه داد و صورتش را با دست‌هایش پوشاند. صدای هق‌هق و لرزش شانه‌هایش گلچهره را هم لرزاند. قطره‌های اشک از چشم‌های گلچهره سرازیر شد. حمید سرش را بالا آورد و گلچهره را نگاه کرد؛ چشم‌هایش قرمز شده بود. یکدیگر را نگاه کردند و اشک ریختند. گلچهره بلند شد و نشست کنار حمید. سرش را گرفت در بغلش. حمید خواست چیزی بگوید. گلچهره ساکتش کرد. نشستند و اشک ریختند و نوازش کردند و چیزی نگفتند.

روز اولی که حمید را دیده بود هیچ وقت فراموش نمی‌کرد. یکی از خوش‌قیافه‌ترین مردها یا پسرهایی بود که تا به آن موقع دیده بود. هیچ ایرادی نمی‌توانست از ظاهرش گرفت. این موضوع به خصوص وقتی

اهمیت پیدا کرد که حمید دهانش را باز کرد و شروع کرد به حرف زدن. صدای گیرا و جذابی داشت. بی‌تردید، به درد تئاتر می‌خورد. قرار بود نقش مقابل گلچهره را بازی کند. گلچهره هیجان زده شده بود. وقتی مهبد کارگردان تئاتر حمید را به گلچهره معرفی می‌کرد، متوجه شد که حمید هم او را به گونه‌ای خاص زیر نظر دارد.

یک ساعتی از این معرفی نگذشته بود که در بین حرف‌های مهبد، حمید خودش را به کنار گلچهره رسانده بود. «مثل این که قراره نقش مقابل هم باشیم.»

گلچهره گیج و غافلگیر گفته بود. «خوشبختانه بله.» و این جوابش حمید را سرزنده و خوشحال کرده بود. روز به روز ارتباطشان بیشتر شد در بین تمرین‌ها به بحث‌های فلسفی می‌پرداختند و در مورد کتاب‌های مورد علاقه‌شان صحبت می‌کردند. حمید مهندسی مکانیک خوانده بود و به علت علاقه‌اش به تئاتر در یک کلاس تئاتر آزاد ثبت‌نام کرده بود. بعد از آن هم از طریق یک دوست با مهبد آشنا شده بود. مهبد از قیافه و صدای حمید خوشش آمده بود. این اولین بازی حمید بود؛ اما استعداد ذاتی‌اش برای بازیگری موجب درخشش او در صحنه شد. بعد از آن تئاتر را برای همیشه ترک کرده و به سراغ شغلی مرتبط با تحصیلش رفته بود. به قول خودش تئاتر رؤیایی بود که تنها به درد خواب‌هایش می‌خورد. در طول تمرین و اجرای تئاتر که یک سال به طول انجامیده بود، گلچهره و حمید با یکدیگر ازدواج کردند. گلچهره همیشه می‌گفت: «خودم را با این ازدواج غافلگیر کردم.» در واقع همه غافلگیر شدند؛ همه همکلاسی‌هایش که فکر می‌کردند گلچهره کسی

را برای زندگی با خود لایق نمی‌داند، متعجب بودند. او با گفتن این که خودم هم در عجب هستم آنها را دلداری می‌داد. در واقع زمانی گلچهره فهمید اشتباه کرده است که دیگر کار از کار گذشته بود و از آن عشق اولیه در وجود گلچهره چیزی باقی‌نمانده بود. حمید خیلی زود نشان داد که آن مرد رؤیایی که ادعا داشت، نیست. با تمام آرزوهای گلچهره مخالف بود؛ نه می‌خواست گلچهره دیگر پایش را به صحنه بگذارد نه این که تحصیلاتش را ادامه دهد. می‌خواست گلچهره کاملاً متعلق به خودش باشد.

***

دست‌های گلچهره موهای حمید را نوازش می‌کرد. مرور خاطره‌ها مانند خوره روحش را آزار می‌داد. خاطرات تلخ و شیرین چنان با هم آمیخته بود که گاهی نمی‌دانست کدام حقیقی است. بعضی وقت‌ها حمید همان حمید رؤیایی می‌شد و گاهی زندانبانی که او را در قفس نگه داشته بود. هر چه بود حالا موجودی ضعیف بود که مانند کودکی، در آغوشش اشک می‌ریخت و نیاز به محبت داشت.

شهرها چیزی نیستند، جز ساکنان‌شان. این آدم‌ها هستند که شهر را می‌سازند. زمین‌ها چیزی نیستند جز حکمرانانشان. به همین علت است که ما خانه‌هایمان را ترک و مهاجرت می‌کنیم. جایی می‌رویم که دور از خاطره‌هایمان چه تلخ و چه شیرین، در شهری دیگر زندگی کنیم و پیش خود فکر می‌کنیم که چرا باغچه خانه ما سیب نداشت؟!

فصل نهم

شهرزاد زودتر از همه به باشگاه رسید. وقتی وارد سالن شد، هنوز مربی هم نیامده بود. به آرامی لباس‌هایش را عوض کرد و به طرف دستگاه‌های بدنسازی رفت. مشغول تمرین بود که نسرین هم وارد شد. چهره نسرین درهم بود. متوجه شهرزاد نشد. لباس‌هایش را که عوض کرد و برگشت تازه شهرزاد را دید. لبخند کمرنگی روی لبش نشست. سلامی کرد و خودش را انداخت روی صندلی کنار دستگاه.

شهرزاد تمرینش را متوقف کرد. «چی شده این‌قدر زود اومدی؟»

نسرین نفس را با صدای بلند بیرون داد. «بچه‌ها با سرویس می‌رن مدرسه. دیگه نمی‌برمشون.»

«حالا چرا این‌قدر حالت گرفته است؟»

نسرین آهی کشید. «از دست خودم کلافه‌ام.»

«واسه چی؟ خودت با خودت قهری؟»

نسرین دوباره لبخندی زد. «ای همچین.»

شهرزاد دستگاهش را عوض کرد. «پاشو یه کم خودت رو تکون بده، آشتی می‌شی.»

مربی وارد سالن شد. «به‌به! شاگردای درسخون.» نسرین از جایش

بلند شد و به طرف یکی از دستگاه‌ها رفت.

یکی‌یکی بچه‌ها از راه رسیدند. ناتاشا پر سر و صدا وارد شد. با همه دست داد و روبوسی کرد. طبق معمول آخرین نفر پریناز بود. کت صورتی پوشیده بود با شال طوسی رنگ. نغمه و ناتاشا که کنار هم ایستاده بودند، زدند زیر خنده.

شهرزاد رو به نسرین کرد و گفت: «بهش نمی‌آد دختر بدی باشه.»

نسرین کلافه گفت: «اگه به من بگن کی توی این کلاس شوهرتو قُر زده؟ می‌گم این. با این کت صورتیش!»

مربی پشت سر هم دست زد. «خوب دیگه موقع دویدنه. بدو بدو ببینم.» به شهرزاد و نسرین اشاره کرد. «بدو خانم! بدو! این‌قدر حرف نزن.»

شهرزاد همان‌طور در حال دویدن از نسرین پرسید: «عملت چی شد؟»

«همین هفته است.»

«بعدش استراحت داری؟»

«آره، یک ماه استراحت دارم. بعدشم باید مراقب باشم تا چند مدت.»

«یعنی دیگه باشگاه نمی‌آی؟»

«خدا می‌دونه. باید ببینم چطوری می‌شه.»

گلچهره کنار پریناز روی صندلی نشست. «چقدر این لباس ورزشیت قشنگه.»

پریناز لبخندی زد: «ممنون!»

«از کجا خریدیش؟»

«دبی.»

«گفتم این جا از این چیزا ندیدم. جنسش به نظر خیلی خوب می‌آد.» پریناز شانه‌هایش را بالا انداخت.

«می‌خوام یه مشورتی باهات کنم.» پریناز برگشت به طرف گلچهره.

گلچهره ادامه داد: «شنیدم خواهرت برای ادامه تحصیل رفته کانادا.»

پریناز با چشم‌های گشاد شده به گلچهره نگاه کرد و منتظر ادامه حرفش شد. «یکی از بچه‌ها بهم گفت. مثل این که یکی از دوستانش توی کوچه شماست. از اوضاع و احوالت خبر داره. می‌خوام بدونم چقدر خرجشه اگه به خرج خودت بخوای بری؟ می‌شه تنهایی رفت؟»

پریناز سرش را چرخاند. «خواهرم از دانشگاهی که می‌خواست بره بورس گرفت اونا خودشون هزینه‌اش رو می‌دن. ولی می‌گه اگه یکی شاگرد اول هم بشه دانشگاه بورسش می‌کنه. خواهرم که تنها رفت و راضی بود. پارسال ازدواج کرد و هنوز هم راضیه.» گلچهره به یک نقطه خیره شد و دیگر چیزی نپرسید.

دویدن تمام شده بود و موقع نرمش بود. پریناز و گلچهره هم بلند شدند و همراه بقیه شروع کردند به نرمش.

نغمه خودش را کنار گلچهره رساند. «سلام!»

گلچهره نفس عمیقی کشید. «سلام!»

«دیدم با پریناز حرف می‌زدی.»

گلچهره گفت: «چند تا سؤال ازش داشتم.»

«آهان.»

مربی چند بار دستانش را به هم کوبید. «ساکت!»

کلاس که تمام شد. دوباره نغمه کنار گلچهره آمد. «خسته شدم.»

گلچهره نگاهش را دوخت به صورت نغمه. «از چی؟»

نغمه تکیه داد به دیوار. «از همه چی.»

گلچهره سرش را تکان داد. ناتاشا که از پشت به آنها نزدیک شده بود، به نغمه چشمکی زد. «کِشتیات غرق شدن؟» نغمه نفسی کشید و جوابی نداد.

گلچهره لباس‌هایش را از کمد درآورد. نغمه هم به طرف کمد رفت و لباس‌هایش را در آورد.

ناتاشا با صدای بلند خندید. «مزاحم حرف‌هاتون شدم؟»

گلچهره و نغمه چیزی نگفتند و در سکوت لباس‌هایشان را پوشیدند. ناتاشا پشت چشمی نازک کرد. «باشه نغمه خانم، حالا دیگه من غریبه شدم؟»

نغمه لبخندی زد. «مگه چی شده؟»

«هیچی دیگه تا من اومدم حرف‌هاتون قطع شد.»

نغمه سرش را تکان داد. «تموم شد. قطع نشد.»

ناتاشا لباس‌هایش را پوشید. «سه‌شنبه می‌بینمتون.» از آنها فاصله گرفت. همین که دور شد، گلچهره گفت: «می‌خوای با هم بریم، بگی چی شده؟ من ماشین نیاوردم. امروز یک کم قدم می‌زنیم.»

نغمه سرش را تکان داد. چند قدمی از باشگاه دور شده بودند، که نغمه شروع کرد. «دیگه نمی‌دونم چی می‌خوام. یه جوری شدم. اگه خونواده‌ام این‌قدر حساس نبودن، همین امروز نامزدیم رو بهم می‌زدم.»

«چرا مگه دوستش نداری؟»

«نمی‌دونم. تقصیر خودم بود. مامان و بابا تمایلی نداشتن باهاش نامزد کنم. خودم دوستش داشتم. می‌ترسم الان اگه به مامان و بابا بگم کلی تحقیر بشم. تازه فهمیدم که با دوست دخترش هنوز ارتباط داره. یک بار خودم توی ماشین دیدمشون. داشتم دیوونه می‌شدم.»

«یعنی می‌خوای به خاطر این که سرکوفت نشنوی، زنش بشی و خودتو بدبخت کنی؟»

«نمی‌دونم، نمی‌دونم؛ آخه هنوز دوستش دارم. بهش گفتم که با اون دختره دیدمش. گفت نمی‌خواسته بره دختره رو ببینه. دختره اصرار کرده که خیلی حالش بده و مجبور شده. راستش بیشتر به این خاطر ناراحتم که چرا اون دختره رو ول کرده. اگه این‌قدر دختره براش مهمه که با اصرارش می‌ره سراغش بعد از ازدواجمون بیشتر می‌ره و این که چرا با اون ازدواج نکرده؟»

گلچهره سرش را پایین انداخته بود و گوش می‌داد. «نمی‌دونم چی بهت بگم. اما این رو می‌دونم که اگه نمی‌خوای باهاش ازدواج کنی همینارو به مامان و بابات بگو. اوناهم، مطمئن باش پشتت وامی‌ایستن و ازت حمایت می‌کنن.»

اشک توی چشم‌های نغمه جمع شد و از گوشه چشمش قطره قطره روی گونه‌هایش ریخت. «دلم می‌خواد بمیرم.»

گلچهره دستش را انداخت دور شانه‌های نغمه. «به خدا اگه الآن درست تصمیم بگیری خیلی بهتره. به هیچ وجه به این که بعد همه چیز درست می‌شه فکر نکن. هر چی هست، همینه که الآن هست. بعدش

فقط پشیمون می‌شی که چرا جوونیت رو حروم کردی.»

نغمه هق‌هق می‌کرد. «تورو خدا به بچه‌های کلاس نگی. همش ازم می‌پرسن کی عروسیته. نمی‌دونم چی بگم.»

گلچهره لبخندی زد. «اگه همین امروز نامزدیت رو بهم بزنی فردا همه دم در خونه‌تون صف می‌کشن. عروس شدن که کاری نداره عزیزم.»

نغمه اشک‌هایش را پاک کرد. «فکر کنم باید از هم جداشیم. مسیرامون عوض می‌شه.»

گلچهره که هنوز دستش دور شانه‌های نغمه بود گفت: «می‌آم تا خونه همراهت. نمی‌گذارم این‌طوری تنها بری خونه.»

صدای بوق ماشینی شنیده شد. نغمه و گلچهره به طرف صدا برگشتند.

پریناز بغل راننده نشسته بود.

«بچه‌ها سوار شید برسونیمتون.»

نغمه گفت: «ممنون خودمون می‌ریم.»

پریناز گفت: «لوس نشید دیگه.»

گلچهره نغمه را با خود کشید و سوار ماشین شدند. نغمه با نگاه مورب، چشم‌هایش را از پیمان به پریناز چرخاند.

پریناز گفت: «برادرم پیمان، هر روز غافلگیرم می‌کنه و می‌آد دنبالم.» گلچهره لبخندی زد. «خوشوقتم.»

پریناز با دست اشاره کرد. «گلچهره و نغمه.»

پیمان از توی آینه برایشان سر تکان داد. نغمه سرش را پایین

انداخت. داخل اولین فرعی که پیچیدند، ناتاشا را دیدند که منتظر ایستاده بود. قبل از این که به او برسند، ماشینی جلویش نگه داشت و سوارش شد.

نغمه گفت: «این ناتاشا خیلی عجیبه.»

گلچهره از پشت به شماره ماشین خیره شده بود.

پریناز گفت: «شاید برادرشه.» همه ساکت شدند و دور شدن ماشین را نگاه کردند.

پیمان مدام از آینه نغمه را زیر نظر داشت و وقتی نغمه از ماشین پیاده شد تا داخل خانه شد و در را پشت سرش بست، با چشم‌هایش دنبالش کرد. پریناز که متوجه پیمان شده بود، با دست‌هایش روی پای پیمان کوبید. «گناه می‌کنی‌ها به زن مردم این‌طوری نگاه می‌کنی.»

پیمان که از شنیدن حرف پریناز جا خورده بود گفت: «ازدواج کرده؟»

گلچهره با خوشحالی گفت: «نه هنوز!» پریناز برگشت و به گلچهره نگاه کرد. گلچهره لبخندی به پریناز زد و شانه‌هایش را بالا انداخت. پریناز چیزی نپرسید. پیمان نفس عمیقی کشید.

پریناز طعنه‌زنان گفت: «راه بیفت دیگه. خونه‌شون رو که یاد گرفتی.»

پیمان ماشین را روشن کرد. «خیلی ناراحت به نظر می‌اومد.»

در مسیر خانه گلچهره، همه ساکت بودند. وقتی گلچهره از ماشین پیاده می‌شد گفت: «فکر نکنم ازدواج کنه. البته منظورم با نامزدشه.»

پیمان که دوباره سر حال شده بود، ماشین را روشن کرد. پریناز که به

صورت خوشحال پیمان نگاه می‌کرد؛ گفت: «فکر می‌کردم عشق در یک نگاه شایعه است.»

پیمان دنده را عوض کرد. «حالا کی گفته عشق در یک نگاه؟»

پریناز خودش را جابه‌جا کرد. «ببخشید منظورم عشق در یک نگاه ده دقیقه‌ای بود!»

پیمان گفت: «دیدی دوباره اشتباه کردی.»

پریناز منتظر به پیمان گوش داد. «اصلاً عوض نشده. انگار همون دختر پنج ساله است.»

پریناز که تازه فهمیده بود، با خوشحالی گفت: «نغمه کوچولو! پس چرا من یادم نمی‌اومد؟!»

پیمان فرمان را پیچاند. «به همون خاطری که نغمه یادش نمی‌آد.»

پریناز ابروهایش را بالا برد. «یعنی تو این همه سال هنوز توی فکر نغمه بودی؟»

«همیشه! اون موقع کوچیک بودم و نمی‌تونستم به کسی بگم یا از کسی بپرسم که نغمه کجاست. بعدشم که فامیلی نغمه رو بلد نبودم. بگم دنبال کی می‌گردم. حالا نگو خونه‌اش چند تا خیابون پایین‌تره.»

پریناز خندید. «منو بگو که همیشه فکر می‌کردم داداشی از دخترا بدش می‌آد.»

هیچ تصوری از آینده نداری. نمی‌دانی حسرت گذشته را خواهی خورد یا چیزی برای افتخار کردن به دست می‌آوری. شاید به بیماری فراموشی مبتلا شوی؛ مغازه کوچک سر کوچه‌تان را فراموش کنی و کوچه‌ها برایت غریبه شوند.

اگر چیزی برای افتخار کردن نداشته باشی، آن‌قدر اذیتت نمی‌کند اما وقتی رازی گناه‌آلود را با خود حمل می‌کنی، از درون تو را آزار می‌دهد. حتی اگر همه چیز را فراموش کنی، رازت را فراموش نخواهی کرد. وقتی اینها را در پیش چشمت تصویر کنی ترجیح می‌دهی برای همیشه فراموش کنی.

کسی فریاد می‌زند و کمک می‌خواهد. کودکی محکوم به فراموشی است.

فصل دهم

شهرزاد روی مبل دراز کشیده بود و به حرکت ثانیه شمار ساعت نگاه می‌کرد. تلفن که زنگ زد، از جا پرید. صدای مسعود از پشت تلفن، فرق کرده بود. شنیدنش برای شهرزاد تازگی داشت و دلش را به درد آورد. «مسعود خودتی؟... کی بر می‌گردی؟... من همیشه به فکر برگشتنت هستم.» با خودش کلنجار می‌رفت. کلمه‌ها را مزه‌مزه می‌کرد و بیرون می‌داد. «نه خوبم. دلم برات تنگ شده.» حالا صدای خودش هم برایش غریبه بود. تلفن را که قطع کرد تنش می‌لرزید. ساعت‌ها بود که به پویان فکر کرده بود. به گذشته‌ها و خاطره‌هایش. حالا در نظرش دور و احمقانه بود. در ذهنش به دنبال نشانه‌ای از ماندن پویان گشت و پیدا نکرد. گوشی تلفن را برداشت و شماره‌اش را گرفت. صدای پویان دیگر مثل همیشه نبود. «سلام!» تهوع داشت. «می‌خواستم بگم... یعنی... خوب، نمی‌تونم، مهم نیست که چه احساسی دارم. نمی‌خوام مسعود رو ول کنم و وقتی این رو نمی‌خوام یعنی این که نمی‌تونیم ادامه بدیم.» صدای هق‌هق پویان از پشت خط شنیده شد. شهرزاد گفت: «خداحافظ!» و تلفن را قطع کرد. دوباره آتش به جانش افتاده بود. هر بار صدای پویان را می‌شنید، دوباره دلش آتش می‌گرفت. بلند شد و

به طرف اتاق خواب رفت. لباس‌هایش را عوض کرد و از خانه خارج شد. تا مدرسه پویا پیاده رفت و فکر کرد و فکر کرد. رنگ‌های خاکستری، روحش را آزار می‌داد.

وقتی به مدرسه رسید، تازه زنگ خورده بود و بچه‌ها با سر و صدا از در خارج می‌شدند. شهرزاد صدای پویا را شنید که با خوشحالی به طرفش می‌دوید. «مامان جونم. اومدی دنبالم؟» شهرزاد را محکم چسبید. با دیدن پویا ذهنش خالی شد. دستش را در دست فشار داد. در طول راه پویا حرف می‌زد و شهرزاد با لبخند نگاهش می‌کرد و گاه جوابی می‌داد. ته دلش می‌دانست که او را به همه چیز ترجیح می‌دهد. حتی فراموش کرده بود، زمانی که فهمید حامله است، از غصه شب‌ها خوابش نمی‌برد.

«مامان می‌شه بستنی بخوریم؟»

«بستنی زمستونی می‌خوریم. باشه؟»

پویا لب‌هایش را غنچه کرد و در حالی که سرش را تکان می‌داد با صدای تیز و بچه‌گانه‌اش گفت: «باشه.»

شهرزاد دستش را دور شانه‌های پویا انداخت و به خودش فشار داد. دختر بچه کوچکی همراه مادرش از روبه‌رو به آنها نزدیک می‌شد. انگشتش را به طرف پویا دراز کرد. «نی‌نی!»

پویا نگاهی به مادرش کرد. «به من می‌گه نی‌نی. من که خیلی بزرگ‌تر از اونم.» شهرزاد خندید.

الهام قرار بود به خانه‌شان بیاید. پویا که غذایش را خورد و خوابید، الهام سر و کله‌اش پیدا شد.

شهرزاد را در آغوش گرفت. «بازم انگار سال‌هاست ندیدمت.»

شهرزاد سرش را تکان داد.

الهام گفت: «مثل اینه که تو سوار یه سفینه فضایی بودی و سال‌های سال نوری از من فاصله داشتی. برای تو، دو هفته گذشته و برای من سال‌ها.»

«پروژه جدیده؟»

«یه جورایی آره. در مورد زمان کنجکاو شدم.»

شهرزاد سرش را تکان داد.

الهام تند تند حرف می‌زد و بدون آن که ببیند شهرزاد مشتاق است یا نه ادامه می‌داد.

«حالا چی شد رفتی سراغ زمان؟ تو هم گاهی یه کارای عجیب غریبی می‌کنی که آدم سر در نمیاره.»

الهام که انگار متوجه شهرزاد شده باشد گفت: «ببخشید زیادی حرف زدم.» «اوهوم.» شهرزاد فکرش مشغول‌تر از آن بود که جواب درستی بدهد.

الهام دستش را گذاشت روی میز. «این مهم نیست از کجا به کجا برسی. مهم اینه که دنبال حقیقت باشی، نه دنبال اشکال‌گیری.»

«حالا به کجا رسیدی؟»

«به این موضوع رسیدم که از یه جایی باید با علم به جلو رفت و وقتی علم به بن بست می‌رسه، می‌شه از علم ماورایی کمک گرفت.»

«آهان!»

شهرزاد پرتقالی را که پوست گرفته بود جلوی الهام گذاشت.

الهام قاچ پرتقالی در دهانش گذاشت. «پویا خوابیده؟»

شهرزاد سرش را تکان داد.

«مسعود کی برمی‌گرده؟»

«به زودی.» الهام قاچ دیگری در دهانش گذاشت. شهرزاد داشت سیب پوست می‌کند.

«چی شده؟ از وقتی اومدم می‌خواستم بهت بگم که قیافت عوض شده. یه کمی ترسناک شدی. جن‌زده شدی؟ جن‌گیری هم بلدما. بده یه فال برات بگیرم.»

«یه چیزی دور بر همین‌ها. راستش کله‌ام داره سوت می‌کشه. کلافه‌ام.»

«از بس می‌شینی و فکرای بیخود می‌کنی. کلاس زبانت به کجا رسید؟»

«دو ترمه که نرفتم. زیاد حوصله آدما رو ندارم.»

«ای بابا تو که این‌طوری نبودی شهرزاد. دیگه باید ببرمت دکتر دیوونه‌ها نشونت بدم.»

شهرزاد بلند شد و به طرف کشوی کابینت رفت و یک بسته سیگار بیرون کشید. به طرف الهام گرفت.

الهام ابروهایش را در هم کرد. «دوباره که رفتی سراغ این کوفتی؟»

«دست خودم نیست. هوسه دیگه.»

«خوب یه کم جلوی هوست رو بگیر. داری دستی دستی گورت رو می‌کنی. به این می‌گن خودکشی آرام.»

«نه! اتفاقاً باعث می‌شه کمتر فکر کنم. نکشم فردا سکته می‌کنم

می‌افتم. این‌طوری یه خورده دیرتر.»

«دلم واسه پویا کباب می‌شه. این دیگه چه مامانیه گیرش افتاده. نمی‌دونم شما که لیاقت ندارین چرا بچه‌دار می‌شین؟!»

شهرزاد پک عمیقی به سیگار زد. «حالا نمی‌خواد حرص بخوری. میوه بخور.» الهام قیافه‌اش حسابی در هم بود. سرش را به ناراحتی چرخاند. بعد نگاهی به ساعتش انداخت.

«خوب دیگه من برم.»

شهرزاد که سیگارش را توی جا سیگاری فشار می‌داد، گفت: «ببین خاموشش کردم. خواستم یه خرده حال و روزم عوض شه.»

«نه دیگه برم به زندگیم برسم.»

«قهر نکن.»

«نه! دیدمت دیگه. ولی دفعه بعد اگه دیدم سیگار کشیدی نمیاما.»

الهام از جایش بلند شد و مانتو و روسریش را تنش کرد. کت قهوه‌ای مخملی‌اش را هم پوشید.

داشت از در بیرون می‌رفت که پویا در حالی که چشم‌هایش را می‌مالید از اتاقش بیرون آمد. «سلام خاله!»

الهام برگشت. «سلام قربونت برم. خاله بیدارت کرد؟»

پویا سرش را بالا برد. «نه!»

الهام دستش را به طرف پویا دراز کرد. «بیا یه بوس به خاله بده که دلم شاد شه.»

پویا در حالی که لبخند می‌زد به طرف الهام رفت و خودش را توی بغل الهام انداخت. «پسر به این خوشگلی به کی رفته؟!» پویا گذاشت که

الهام حسابی فشارش دهد و صورتش را غرق بوسه کند.

الهام که رفت، پویا روی پای شهرزاد نشست و شهرزاد نوازشش کرد.

«مامانی پس بابا کی می‌آد؟»

شهرزاد سر پویا را بوسید. «می‌آد عزیزم.»

پویا لب‌هایش را غنچه کرد. «برام چی می‌آره؟»

«تو چی دوست داری؟»

«بابا رو.» شهرزاد دست‌های پویا را به لبش نزدیک کرد و بوسید. دانه‌های اشک از گوشه چشم‌هایش لغزید روی گونه‌هایش.

قطره اشکی روی دست‌های پویا ریخت. «مامان ببین بارون می‌آد.»

شهرزاد با بغض گفت: «آره داره بارون می‌آد.»

پویا سرش را چرخاند و به شهرزاد نگاه کرد. با دست‌هایش اشک‌های شهرزاد را پاک کرد. «گریه نکن مامانی. بابایی زود بر می‌گرده.»

آدم‌ها به اندازه درکشان وقایع را تعریف می‌کنند. آنچه فکرشان را در طول شبانه روز اشغال کرده است، مبنای قضاوتشان می‌شود. رنگ‌ها، بوها، مزه‌ها برای هر کس متفاوت است. هیچ واقعه‌ای نیست که برای تمام انسان‌ها یک جور معنی شود. درست به اندازه تفاوت سر انگشت‌هایمان با هم متفاوت هستیم.

فصل یازدهم

سروش روی زمین دراز کشیده بود و مشق می‌نوشت. «مامان کی بابا می‌برتمون پارک؟»

نسرین روی مبل نشسته بود و بافتنی می‌بافت. «من که می‌برمتون.» «آخه چهارتایی بریم بیشتر خوش می‌گذره.»

نسرین زیر چشمی نگاهی به سروش انداخت. «امشب بابا اومد ازش بپرس. باشه؟»

سروش سرش را تکان داد و مشغول نوشتن شد. سیاوش در حالی که کتاب در دستش بود از اتاقش بیرون آمد. «به بابا بگو سینما هم ببرتمون.»

سروش سرش را تکان داد. نسرین به طرف سیاوش چرخید. «تو درس می‌خونی یا به حرف‌های ما گوش می‌دی؟»

سیاوش در حالی که دور سالن می‌چرخید گفت: «هر دوش.»

سروش دوباره زمزمه کرد. «اگه بابا دیر اومد؛ من خواب بودم چی؟»

نسرین میل‌های بافتنی را بالا و پایین می‌برد. «من بهش می‌گم.»

سروش لبخندی زد و دوباره مشغول نوشتن شد.

سیاوش که نزدیک نسرین و سروش رسیده بود گفت: «سینما رو

هم یادت نره.»

نسرین آهی کشید. «برو توی اتاق اینجوری نمیتونی درس بخونی.»

سیاوش قدم‌زنان به اتاقش رفت.

نسرین بلند گفت: «دَر رو هم ببند.» نسرین آن‌قدر بافت و بافت که همان‌جا خوابش برد. نیم ساعت بعد از جا پرید. سروش سرش را روی کتاب گذاشته بود و خوابیده بود. به اتاق سیاوش رفت. سیاوش هم روی تخت در حالی که کتابش روی سینه‌اش باز بود خوابیده بود.

وقتی فرهاد آمد هنوز شامشان را نخورده بودند. هنوز فرهاد لباس‌هایش را در نیاورده بود که سروش گفت: «بابا مارو پارک و سینما می‌بری؟»

فرهاد متعجب پرسید: «الآن؟»

«نه! جمعه.»

فرهاد در حالی که لباس‌هایش را در می‌آورد گفت: «ببینم چی می‌شه.»

سروش چند بار بالا و پایین پرید و دستش را چرخاند «بابایی بابایی بابایی.»

فرهاد ابروهایش را در هم کشید. «آروم.»

«ببرمون پارک و سینما.»

سیاوش بدون این که سلام کند از اتاقش بیرون آمد. «سینما بعد پارک.» سروش ابروهایش را در هم کرد. «نخیرم پارک بعدش سینما.»

فرهاد به طرف سیاوش برگشت. «سلام!»

سیاوش سرش را انداخت پایین. «سلام!»

فرهاد به طرف نسرین برگشت. «به جای این که یادشون بدی بگن ببرمشون سینما و پارک، ادب یادشون بده.»

سروش گفت: «نه! پارک و سینما.»

نسرین با چهره برافروخته گفت: «سروش جان! بیا این جا بابا تازه اومده خسته است.»

شام را در فضای سردی خوردند. فرهاد طبق معمول روزنامه‌اش را سر میز آورده بود و می‌خواند. سروش و سیاوش هم گاهی حرف‌های کوتاهی بینشان ردوبدل می‌شد. بعد از شام فرهاد روزنامه را دستش گرفت و جلو تلویزیون نشست.

نسرین بافتنی‌اش را دستش گرفت. «شنبه عمل دارم. باید یه مدت استراحت کنم. باید مواظب بچه‌ها باشی.» فرهاد روزنامه‌اش را ورق زد و سرش را بیشتر توی روزنامه فرو کرد.

سروش روی کاناپه خوابش برده بود. سیاوش هم به اتاقش رفت و شب‌بخیر گفت. نسرین سیاوش را بغل کرد و برد به اتاق. وقتی برگشت، فرهاد روزنامه را کناری گذاشته بود و با کنترل کانال‌ها را بالا و پایین می‌کرد. نسرین هم نشست روی مبل کنارش.

فرهاد زیر لب گفت: «حالا واسه چی عمل می‌کنی؟»

نسرین در حالی که چشم‌هایش گشاد شده بود گفت: «مگه تو نگفتی از شر شکمم خلاص شم!»

فرهاد سرش را تکان داد. «اوهوم.»

«برنامه‌ریزی‌هاتو بکن تا بتونی زود بیای خونه.»

«مگه دست منه! کاره! اگه دست من بود که اصلاً سر کارم نمی‌رفتم.»

«خوب دوست نداری نرو. کی مجبورت کرده؟! من خودم می‌رم سرکار.»

فرهاد لبش راکج کرد. «هه! تو؟ تو حتی نمی‌تونی بچه‌هات رو سر و سامان بدی.»

«خوب نیا! همه‌مون می‌ریم خونه خواهرم اون ازمون مراقبت می‌کنه.»

«آره این‌طوری بهتره! منم یه نفسی می‌کشم.»

نسرین بلند شد و به اتاق رفت. نیم ساعتی بیدار بود اما فرهاد نیامد. نیمه شب از خواب پرید. فرهاد هنوز توی اتاق نیامده بود. بلند شد و بیرون رفت. فرهاد خوابیده بود روی کاناپه و تلویزیون روشن بود. تلویزیون را خاموش کرد. پتویی انداخت روی فرهاد و برگشت به اتاق خواب.

صبح که فرهاد از در خانه بیرون می‌رفت، نسرین گفت: «حداقل جمعه بچه‌ها رو ببر سینما و پارک. نذار بفهمن بابا ندارن.» فرهاد برگشت و زل زد توی چشم‌های نسرین. بعد بدون آن‌که چیزی بگوید از در بیرون رفت و در را بست.

فرهاد شب به خانه برنگشت و نسرین هم تلاشی برای پیدا کردنش نکرد. سیاوش و سروش هم که از او پرسیدند، نسرین گفت که بابا به مأموریت کاری رفته است. پنجشنبه هم خبری از او نشد. صبح جمعه که بچه‌ها مشغول صبحانه خوردن بودند، صدای در آمد. سیاوش و سروش از جا پریدند و به طرف در دویدند. نسرین سر جایش

میخکوب شده بود و لیوان چایش را بالا و پایین می‌برد.

سروش با خوشحالی به طرف نسرین آمد. مامان ببین بابا چی برام سوغاتی آورده و ماشین آبی رنگی را که در دست داشت جلو چشم‌های نسرین گرفت. نسرین سری تکان داد و دست‌های سروش را در دستش فشار داد. سروش دوباره دوید و دور شد. فرهاد در چارچوب آشپزخانه قرار گرفت. نسرین لبخندی زد. فرهاد سرش را تکان داد. بعد به طرف سیاوش که مکعب شش رنگی را در دست داشت و می‌چرخاند برگشت.

«بالاخره اول سینما یا پارک؟»

سیاوش گفت: «سینما.»

سروش به طرف آن دو دوید. «پارک.»

سیاوش نگاهی به سروش انداخت و ابروهایش را در هم کرد.

سروش گفت: «سینما.»

شب نسرین روی تخت دراز کشیده بود که فرهاد داخل اتاق شد.

چراغ را روشن کرد. نسرین چشم‌هایش را باز کرد و به فرهاد چشم دوخت. فرهاد کنار تخت نشست. «فردا صبح می‌برمت بیمارستان. بعدشم می‌برمت خونه خواهرت بچه‌ها رو هم می‌یارم اونجا. پیش تو باشن بهتره.» از روی تخت بلند شد. چراغ را خاموش کرد و به تخت برگشت و همانجا خوابید.

صبح فرهاد، سروش و سیاوش را سوار سرویس کرد.

نسرین لباس‌هایش را تنش کرده بود و ساکی بسته بود تا مستقیماً به خانه خواهرش برود. فرهاد ساک را پشت ماشین گذاشت. نسرین

می‌خواست بپرسد که فرهاد کجا بوده و چرا دو روز خانه نیامده اما نپرسید. مسیر بین خانه تا بیمارستان در سکوت طی شد. فرهاد کارها را در بیمارستان انجام داد و نسرین بستری شد. دکتر به اتاق آمد فشار خون نسرین را اندازه گرفت و گفت که در اتاق عمل می‌بینتش. در دلش می‌گفت همه چیز درست می‌شود و دوباره فرهاد می‌شود همان فرهاد؛ همانی که چشم نمی‌توانست از او بردارد.

چیزی نگذشت که نسرین لباس عمل به تن وارد اتاق جراحی شد. ساعتی بعد چشم‌هایش را که باز کرد خواهرش، سیاوش و سروش بالای سرش بودند. سروش قیافه‌اش وحشتزده به نظر می‌رسید. اشک در چشم‌هایش جمع شده بود و دست‌های نسرین را در دستش فشار می‌داد. نسرین پلک‌هایش را تکان داد و لبخند زد. سروش سرش را روی دست‌های نسرین گذاشت. «زودی خوب شو.»

بدنش در کنترل خودش نبود. خواست کمی پاهایش را تکان دهد اما آنها به شدت تکان خوردند و به روی تخت کوبیده شدند. پرستار وارد اتاق شد.

«امشب رو این جا بد می‌گذرونی. درد داری؟»

نسرین پلک‌هایش را بست. «اوهوم.» صدایش به سختی شنیده شد.

پرستار آمپولی به سرمش تزریق کرد. «الان خوب می‌شی.»

سروش به چشم‌های نسرین خیره شده بود. «مامان گریه نکنی‌ها! زود خوب می‌شی.»

نسرین سعی کرد لبخند بزند. فرهاد در چارچوب در ظاهر شد. سری برای نسرین تکان داد. «نرگس خانم پیشت می‌مونن. امشب

بچه‌ها رو می‌برم خونه. فردا صبح می‌یام دنبالتون.»

با دست به سروش و سیاوش اشاره کرد. سروش که دست‌های نسرین را ول نمی‌کرد گفت: «نمی‌شه منم بمونم؟»

فرهاد سرش را تکان داد. «نه آقای دکتر اجازه نمی‌ده.»

سروش لب‌های کوچکش را روی دست نسرین گذاشت. «خاله نرگس مواظب مامانم باشی‌ها!»

نرگس خم شد و سروش را توی بغلش فشرد. «باشه. مواظبشم. قول می‌دم.»

سروش لبخندی زد و به طرف فرهاد و سیاوش دوید.

سیاوش گفت: «خداحافظ.» سروش دست‌هایش را تکان می‌داد. نسرین چشم از فرهاد بر نداشت. دنبال نشانه‌ای بود اما دنیا هیچ تغییری نکرده بود.

فرهاد دست بچه‌ها را گرفت و سری تکان داد. نرگس در حالی که روی صندلی کنار تخت می‌نشست، گفت: «چقدر سیاوش شبیه باباش شده.»

شاید اگر تفاوت‌ها را درک می‌کردیم، از خیلی چیزها نمی‌ترسیدیم. در مواجهه با اتفاقات رنگ نمی‌باختیم و آرامش‌مان دست دیگران نبود.

فصل دوازدهم

دکور خانه توی ذوق می‌زد. حمید می‌خواست خودنمایی کند. می‌گفت سلیقه من هم در این خانه، مهم است. هر کسی می‌توانست بفهمد که آشپز دو تا شده است. نه به رنگ‌های لطیف قالی و مبل، نه به آن گلدان‌های طلایی که حمید برای دکور خانه خریده بود. هر وقت گلچهره نگاهش به این اشیاء نامأنوس که کنار هم چیده شده بودند می‌افتاد، به خودشان حق می‌داد که هیچ قرابت فکری با هم نداشته باشند. اگر خوب دقت کرده بود، منتظر شکستن هندوانه نمی‌ماند؛ از همان اول می‌فهمید که این هندوانه رنگ قرمز ندارد. شواهد را خودش نادیده گرفته بود.

حمید طبق معمول زود برگشته بود و روی کاناپه جلو در نشسته بود. «سلام.»

گلچهره کوله پشتی‌اش را کنار در گذاشت. «سلام.»

حمید نگاهش را به صورت گلچهره دوخته بود. «بیا بشین کارت دارم.»

گلچهره در حالی که لباسش را در می‌آورد گفت: «بگذار یه دوش بگیرم بعد.»

حمید دستش را به طرف گلچهره دراز کرد. «نه همین حالا بیا!»

«باز شروع کردی حمید. دوباره چی شده؟»

حمید لبخندی زد. «زود حرف‌هام رو میزنم و می‌تونی بری دوش بگیری.»

گلچهره آهسته کنار حمید نشست و منتظر به حمید چشم دوخت. حمید نفس عمیقی کشید. «نمی‌تونم بذارم از پیشم بری. نمی‌تونم بذارم جایی بری که من نباشم. نمی‌تونم. زیادی دوستت دارم. فکر این که با کس دیگه‌ای حرف بزنی هم دیوونه‌م می‌کنه. اون دوستم رو یادت می‌آد، برات تعریف کردم که آخرش رضایت داد زنش بره ادامه تحصیل بده؛ حالا زنه می‌خواد ازش جدا شه و با یکی از همکلاسی‌هاش ازدواج کنه به همین راحتی.» گلچهره بدون این که چیزی بگوید همچنان منتظر به حمید نگاه می‌کرد. حمید به طرف گلچهره چرخید. «نمی‌خوای چیزی بگی؟» گلچهره سرش را تکان داد. «من نمی‌تونم ادامه تحصیل بدم. یعنی دیگه نه اشتیاقش رو دارم نه وقتش رو. باید کار کنم.» گلچهره لبخند زد. «چیه مسخره‌ام می‌کنی؟» گلچهره شانه‌هایش را بالا انداخت. حمید منتظر جواب بود.

گلچهره به مبل تکیه داد. فکرها توی سرش می‌چرخیدند. دهانش را چند بار باز و بسته کرد تا جملات را پشت هم درست بچیند. «اشتباه تو اینه که هر کسی رو با خودت و من مقایسه می‌کنی. قرار نیست هر کسی سکته کرد تو هم سکته کنی. اما می‌دونی چیه. اینکارهات باعث می‌شه از چیزی که بدت بیاد سرت بیاد. همیشه همین‌طور بوده. با دست خودت داری زیر پات چاله می‌کنی و یه روز می‌فهمی که ته چاله

گیر کردی. حالا هم لابد می‌خوای از در خونه بیرون نرم. می‌یای برام قصه این و اونو تعریف می‌کنی. یه روزی هم می‌ری قصه خودتو برای دیگرون تعریف می‌کنی. اصلاً باید این‌طوری بشه که حداقل دو سه نفر درس عبرت بگیرن. البته درست تعریف کن. نه مثل این دوستت، به نفع خودت.»

حمید دست‌هایش را روی سرش گذاشته بود. «منظورت چیه؟»

گلچهره از جایش بلند شد. «من می‌رم حمام.»

حمید دست گلچهره را کشید. «منظورت چیه؟»

گلچهره دستش را بیرون کشید. «نمی‌خوای که این دفعه راست راستی بکُشی‌ام.»

حمید گلچهره را رها کرد. گلچهره به طرف حمام رفت و در را بست. حمید پشت در حمام ایستاد. «منظورت چی بود؟»

گلچهره جوابی نداد. وقتی از حمام بیرون آمد، حمید روی تخت دراز کشیده و به سقف خیره شده بود. «چرا دنیا این‌طوریه؟ همیشه یکی‌یکی رو دوست داره و اون یکی نه!» گلچهره که لباس‌هایش را تنش می‌کرد گفت: «دنیا این‌طوری نیست. یکی این‌طوریش می‌کنه.»

«یعنی می‌شه طور دیگه‌ای باشه!»

«اگه اون کس بتونه کس دیگه‌ای باشه، دنیا هم یه طور دیگه می‌شه. اگه خودت حال و روزتو عوض نکنی دنیا هم عوض نمی‌شه!»

حمید به پهلو برگشت و خوابید.

حوالی غروب، گلچهره کنار پنجره نشسته بود. باریکه‌های نور از لای کرکره موازی روی دست‌ها و صورتش می‌تابید و چشم‌هایش به

نقطه‌ای دور خیره شده بود؛ جایی که نه شکلی داشت و نه توصیفی. جایی که نه این‌جا بود و نه در خاطره‌هایی که به یاد داشت. صدای تیک‌تاک ساعت قطع شده بود. انگار می‌توانست شعله‌های خورشید را ببیند. همه چیز متوقف شده بود. تنها بود و به پرواز فکر می‌کرد. پرنده‌هایی که از بامی به بام دیگر می‌پریدند. پاهایش بی‌حس شده بود. دست‌های حمید روی شانه‌های گلچهره قرار گرفت. تکان نخورد. همان‌طور به همان نقطه خیره ماند.

حمید زمزمه کرد. «به چی فکر می‌کنی؟»

گلچهره بدون هیچ حرکتی گفت: «به مترسکی که می‌خواست پرواز کنه. به پرنده‌های توی قفس. به اون پرنده‌هایی که بالشون شکسته و تا ابد حسرت آسمون رو می‌خورن.»

حمید نشست کنارش. «تو مترسک نیستی. پرنده قفس و پر شکسته هم نیستی.» گلچهره چیزی نگفت. توی دلش می‌دانست که مترسک است و باید تکانی بخورد. باید بگذارد باد کاه‌های تنش را با خود بالا ببرد. حمید خودش را چسباند به گلچهره. «نهار نخورده بودم، خوابم برد. خیلی گرسنمه.»

گلچهره آرام گفت: «غذا روی گازه، گرمش کن.»

حمید بلند شد. «مردی برام شده یه رویا.»

گلچهره نگاهش را از خط نور که آهسته در افق محو می‌شد چرخاند و به صورت حمید نگاه کرد. «دنیا چقدر عجیب و غریبه.»

صدای حمید از آشپزخانه آمد. «منم گفتم که عجیب و غریبه.»

گلچهره چیزی نگفت. حمید ایستاد در چارچوب در. «چی؟»

«تو دنبال مردانگی هستی! حالا که به قول خودت مرد نیستی دنیا این‌طوریه؛ اگر مرد بشی وای به حال دنیا.»

حمید دست‌هایش را جمع کرد روی سینه. «درست منظورت رو بگو! دوپهلو حرف نزن.»

گلچهره دوباره از پنجره خیره شد به خط قرمزی که در آسمان مانده بود. «حمید من فکرام رو کردم. تو هم که از این وضعیت راضی نیستی. پس این زندگی به چه دردی می‌خوره. جداشیم هردومون می‌ریم پی کار خودمون.»

«یعنی تو یه شوهر خوب پیدا می‌کنی و خوشبخت می‌شی هان؟»

گلچهره سرش را تکان داد و نفس عمیقی کشید. «من مثل تو خوشبختی رو توی ازدواج نمی‌دونم؛ اگه بتونم به خواسته‌ها و آرزوهام برسم، اگه توی راهم موفق باشم، اون موقع احساس خوشبختی می‌کنم. همین الانم احساس بدبختی نمی‌کنم. فقط احساس می‌کنم جا موندم. از اون‌جایی که باید بهش برسم خیلی عقب موندم و تو هر روز بیشتر مانع می‌شی. بعضی وقت‌ها فکر می‌کنم که نه تنها جلو نمی‌رم، عقبم می‌رم!»

حمید در حالی که بر می‌گشت که به آشپزخانه برود گفت: «خودت خوب می‌دونی که من ازت جدا نمی‌شم و تو هم نمی‌تونی هیچ کاری بکنی.»

گلچهره صندلی کنار پنجره را کنار زد. نشست روی زمین. پاهایش را جمع کرد توی سینه و سرش را روی زانوهایش گذاشت. حمید سرش را توی اتاق کرد. «تو هم می‌خوری؟»

گلچهره گفت: «نه!»

حمید دستش را دراز کرد و چراغ اتاق را روشن کرد. گلچهره سرش را روی زانوانش فشار داد. «خاموشش کن.»

«توی تاریکی نَشین، خوب نیست.»

«خودم تصمیم می‌گیرم که چی برام خوبه، چی بد.»

حمید چراغ را خاموش کرد. بعد از دو سه دقیقه با ظرف غذا وارد اتاق شد. نشست روی زمین روبه‌روی گلچهره. «بگو چی می‌خوای؟! چکار می‌خوای بکنی؟»

گلچهره سرش را از روی زانو بلند کرد. «می‌دونی چی می‌خوام. می‌خوام ادامه تحصیل بدم. می‌خوام این همه نمایشنامه‌ای که نوشتم، کارگردانی کنم. می‌خوام برم بین همکارام باشم. من زن زندگی نیستم. خودتم خوب می‌دونی. پس واسه چی این همه اصرار داری که با من باشی. این همه حرص خوردی. بس نیست.» حمید قاشقش را روی بشقاب گذاشت.

گلچهره به طرف حمید خم شد. «تو آدم منطقی‌ای هستی. اصلاً اولش به خاطر منطقت ازت خوشم اومد. نمی‌دونم تحت تأثیر حرف کی و چطوری فکر کردی که هر چی بیشتر منو از همه جا بِبُری مال خودت می‌شم. نمی‌دونم شایدم این واقعاً خودتی. ولی خوب فکر کن برای چی ازم خوشت می‌اومد و حالا واسه چی ازم خوشت می‌آد؟»

«خوب آدم موفقی بودی، با سواد بودی. از قیافتم خوشم می‌اومد.»

«آخه سوادم الان به چه درد تو می‌خوره؛ من و تو که هیچ وقت حرفی نمی‌زنیم که من از اطلاعاتم استفاده کنم. الانم با این وضعیت

دیگه آدم موفقی به حساب نمی‌آم. چه فایده داره آدم پرنده باشه ولی توی قفس نتونه پرواز کنه؛ دیگه بال و پرش امتیازی برایش محسوب نمی‌شه. اگه هم از قیافه‌ام خوشت می‌آد و فقط همین برات مهمه که اون‌قدر دختر خوش قیافه زیاده که نگو. سر دو روز که ازم جداشی ده‌تاشو پیدا می‌کنی.»

«من ده تاشو نمی‌خوام تو رو می‌خوام.»

«خوب بگو واسه چی منو؟ یه دلیل قانع‌کننده بیار و منو راضی کن. نگو که از روی خود خواهی می‌خوای منو تو قفس نگه داری. من پرنده‌ای که تو قفس بمونه نیستم.»

حمید بشقاب غذا را کنار زد و کنار گلچهره به دیوار تکیه داد.

گلچهره ادامه داد. «اگه واقعاً دوستم داشتی به خودت فکر نمی‌کردی و من رو آزاد می‌ذاشتی. حالا هم مثل اون وقت‌ها فکر نمی‌کنم که اگه به کارهام برسم، دیگه نخوام ازت جدا شم. این جا مسأله من نیست. تو هم هستی. تو به یه زن خونه احتیاج داری که دائم دورت چرخ بزنه. تو با من زندگی خوبی نخواهی داشت؛ یا افسردگی می‌گیری یا آخرش خودت هم می‌فهمی و می‌ری سراغ یک نفر دیگه! پس چرا مثل دو تا آدم عاقل خودمون مشکلمون رو حل نکنیم. منم قول می‌دم همیشه به فکرت باشم و حالت رو جویا بشم مثل دو تا دوست قدیمی.»

حمید دست‌هایش را گذاشت روی زمین. «تو همون به درد کانادایی‌ها می‌خوری؛ زندگی می‌کنی که کار کنی.»

گلچهره بشقاب غذای حمید را جلو کشید. قاشق را پر از غذا کرد و

به طرف دهان حمید برد. حمید انگار که سکوت صد ساله را شکسته باشد گفت: «می‌دونی چرا از تئاتر بدم اومد؟»

گلچهره قاشق را پایین آورد و سرش را تکان داد. حمید گفت: «نمی‌خواستم با کس دیگه‌ای همبازی بشم. یه پیشنهاد تئاتر بهم شد. ازشون خواستم که تو رو نقش مقابلم کنن. اونا گفتن تو به درد اون بازی نمی‌خوری! می‌بینی من تئاتر رو گذاشتم کنار به خاطر تو...»

فقط خودمان را می‌بینیم؛ خواسته‌های خودمان. اگر روزی قدرت این را داشته باشیم که جای دیگری قرار بگیریم، همه چیز تغییر خواهد کرد.

فصل سیزدهم

تلفن بارها و بارها زنگ زد. چند باری با نوید تلفنی حرف زده بود و بحثشان از موضوع فیلمنامه به جایی کشید که احساس کرد نوید علاقه‌ای نسبت به او دارد، می‌خواست از او فاصله بگیرد.

پریناز بالشش را زیر سرش تا کرده بود. با آن که چراغ خاموش بود، اما انگار همه‌جا را چراغانی کرده باشند و نورش نمی‌گذاشت آرام بگیرد. نمی‌خواست قبول کند چه احساسی در دل دارد. دوباره همان بازی‌ها؛ دوباره و دوباره. نمی‌توانست درگیر یک بازی احساسی دیگر شود.

نفهمید چه وقت تلفن دیگر زنگ نزد و چه وقت خوابش برد.

از خانه که بیرون می‌آمد کیسه برنجی را که مادرش طبق معمول برای گنجشک‌ها گذاشته بود به حیاط برد. نمی‌دانست که گنجشک‌ها هیچ وقت مهاجرت نمی‌کردند یا به تازگی مهاجرت را ترک کرده بودند. با خودش فکر کرد چقدر گنجشک. انگار هر روز تعدادشان زیادتر می‌شود.این همه روی یک درخت کوچک؛ چطور دعوایشان نمی‌شود.

خیلی زود به دانشگاه رسید. دخترها و پسرها مثل هر روز یا روی

سکوهای محوطه نشسته بودند و یا ایستاده باهم حرف می‌زدند. اصلاً نمی‌دانست چرا آن موقع و آن روز آن هم شنبه، روزی که اصلاً کلاسی نداشت، آن‌جا روی نیمکت روبه‌روی ورودی محوطه نشسته و به مسیری که از لای درخت‌ها به در ورودی منتهی می‌شود، خیره نگاه می‌کند. نمی‌دانست منتظر است یا دنبال جواب می‌گردد. غرق در افکارش بود که نوید با کوله‌پشتی برشانه در مسیر نگاهش قرار گرفت. تازه فهمیده بود که چرا آن‌جا و در آن ساعت نشسته است. روزهای شنبه نوید کلاس داشت.

او را که دید از جایش بلند شد و به سمت دیگری حرکت کرد. آن‌قدر فکرش مشغول بود که نفهمید چطور نوید خود را به او رسانده و رودررویش ایستاده است. نوید گیج و در هم بود. زل زده بود به چشم‌های پریناز. «سلام!» پریناز سرش را انداخت پایین. تحمل نگاه‌های تیز و داغ نوید را نداشت. نوید دست‌هایش را توی جیبش مشت کرده بود و دندانش را روی لبش فشار می‌داد. «احساس می‌کنم یه بچه شونزده ساله‌ام.»

پریناز سرش را تکان داد. «نمی‌دونم چی باید بگم!»

نوید کمی سرش را به جلو خم کرد. «توی چشمای من نگاه کنید و بگید که چه اشتباهی کردم؟ یا چه کاری کردم که اشتباه تعبیر کردید.»

پریناز سرش را بلند کرد و به چشم‌های مصمم نوید نگاه کرد. «مشکل شما نیستید مشکل از منه!»

نوید سرش را تکان داد. «نمی‌خواین بگین که تنها سیاهی وجود داره و سفیدی یک خیاله؟»

«نه مطمئناً در مورد سیاهی و سفیدی موضوع کاملاً بر عکسه؛ مثل همون تاریکی. اما من واقعاً گیج شدم. نمی‌خوام شمارو آزار بدم. اما خودم هم نمی‌خوام اذیت بشم.»

نوید کوله پشتی‌اش را روی زمین گذاشت. «می‌خواین بگین دوست ندارین با هم حرف بزنیم.»

پریناز رویش را برگرداند تا برود. «خاطره. همش به خاطر اتفاقاتیه که نباید می‌افتادند و نباید دوباره تکرار بشن.»

نوید سر جایش خشکش زد. اما با صدای بلندی که پریناز بشنود گفت: «یادتون نره که امروز کلاسی نداشتید؛ این چیز دیگه‌ای رو نشون می‌ده.»

پریناز ایستاد. برگشت و به نوید نگاه کرد. «درسته، فکر کنم گیج شدم و روزها رو با هم قاطی کردم.»

بعد به طرف در خروجی راهش را کج کرد.

چند هفته پریناز تمام تلاشش را کرد تا با نوید روبه‌رو نشود. در کلاس‌های مشترکشان دیر می‌آمد و قبل از پایان کلاس می‌رفت. سعی می‌کرد نگاهش با نوید تلاقی نکند. نوید مدام از دوست‌های پریناز سراغش را می‌گرفت و او مجبور بود از آنها بخواهد که به نوید جواب سر بالا بدهند.

روز دوشنبه، بین دو کلاس، نادیا و پریناز توی کافه دانشگاه نشسته بودند. نادیا در حالی که پیغام‌هایش را می‌خواند، گفت: «امروز نوید دوباره سراغت رو گرفت. من هم شونه‌م رو بالا انداختم. چرا از دستش فرار می‌کنی؟»

پریناز لیوان چایش را روی میز جابه‌جا کرد. «هومن رو یادته؟»

«خوب؟»

«نمی‌خوام همه چیز بشه مثل اون موقع. تو که منو می‌شناسی؛ آدم ساده و بی‌شیله پیله‌ام و هیچ وقت از بازیچه شدن خوشم نمی‌اومده.»

«حالا کی گفته قراره بازیچه بشی؟ فکر نکنم که نوید مثل هومن باشه. حداقل رفتارش که این‌طوری نشون می‌ده.»

«دنیا پر از چیزهاییه که باورش سخته. خیلی وقته که تنهایی رو ترجیح می‌دم.»

«یعنی به نظرت ازدواج کار غلطیه؟»

«نه من همچین چیزی نمی‌گم ولی کی گفته که نوید و من؟!»

«یعنی حتی بهش فکر هم نکردی؟»

«معلومه که نه! شاید اگه یه خرده احساسم کم بشه، بتونم دوباره باهاش رو به رو بشم اما حالا نه! خیلی درگیری فکری دارم.»

نادیا نگاهی به ساعتش انداخت. «اما من که اصلاً ضد ازدواج نیستم.» از جایش بلند شد. «تو نمی‌آی؟»

«نه بهتره توی محوطه نباشم یه کم کار دارم. همین‌جا انجام می‌دم تا کلاس شروع بشه.»

زمان شروع کلاس که رسید، از جایش بلند شد. از در کافه بیرون آمد. نوید رو در رویش قرار گرفت. نوید در حالی که چشم‌هایش گشاد شده بود سرش را تکان داد. «سلام!»

پریناز جوابش را داد و راهش را کج کرد تا به طرف کلاس برود. نوید خودش را به پریناز رساند. «پیدا کردنتون خیلی سخت شده.»

پریناز همان‌طور که به راهش ادامه می‌داد، گفت: «که این‌طور!»

نوید همپای پریناز قدم بر می‌داشت. «هنوز نمی‌خواین حرفی بزنین؟»

«الان کلاس دارم یه موقع دیگه.»

«از چی می‌ترسید؟»

پریناز ایستاد. «کی گفته من می‌ترسم؟»

نوید به چشم‌های پریناز خیره شد. «من چطور به نظر می‌آم؟ یه بچه بیست ساله که نمی‌دونه داره چکار می‌کنه؟»

پریناز لحنش را تندتر کرد. «من فقط می‌خواستم ازتون راهنمایی بگیرم. اما متأسفانه شما دچار سوء تفاهم شدید.»

رگ گردن نوید برجسته شد و دندان‌هایش را روی هم فشار داد. «من هر چی که گفتم حقیقت رو گفتم. انتظار خاصی هم نداشتم. نمی‌دونم چکار کردم که می‌گین سوء تفاهم شده.»

پریناز کمی آرام‌تر گفت: «شما چطور می‌تونید در مورد کسی که نمی‌شناسین قضاوت کنید؟»

«خانم زرنگار من این جا بیخودی جلوی شما نایستادم و هیچ وقت هم به خودم اجازه نمی‌دم که به آدم محترمی توهین کنم و انتظار دارم که شما هم همین طور در قبال من رفتار کنید. حالا اگر باعث شدم که شما احساس کنید مورد اهانت قرار گرفتید، باید بگم دیگه مزاحمتون نمی‌شم. اما فکر نمی‌کردم که این‌طور در مورد من قضاوت کنید.»

پریناز سر جایش ماند و نوید راهش را به طرف دیگری کج کرد. پریناز به طرف کلاس رفت. در تمام طول کلاس ذهنش پر بود از مسائل

ضد و نقیض، و بایدها و نبایدها. انگار در ته ذهنش، در سیاهی خاطره‌ها نوری می‌دید. صدای نوید در فکرش تکرار می‌شد و آزارش می‌داد. بدون آن که بفهمد روی کاغذ جلوی دستش نقاشی می‌کشید. به خودش که آمد، استاد بالای سرش ایستاده بود. «اگه مطالب کلاس براتون کسل‌کننده است می‌تونید تشریف ببرید.»

پریناز لبخندی زد. «نه استاد ممنون.» استاد که از جواب پریناز جاخورده بود بدون این که چیزی بگوید به میز خودش برگشت.

از کلاس که بیرون آمد، نوید منتظرش ایستاده بود. جلو آمد. «قصد نداشتم دوباره مزاحمتون بشم. اما فکر کردم که بهتره حرف‌هامو بزنم، بعدش شما هر چه تصمیم بگیرید با خودتونه.»

پریناز سرش را انداخت پایین.

نوید دست‌هایش را روی سینه گره کرد. «خانم محترم، توی قصه که زندگی نمی‌کنیم. این زندگی واقعیه، منم بازیگر نیستم.»

پریناز سرش را بالا آورد ابروهایش را طوری بالا برد که پیشانیش چین خورد. «فکر می‌کردم بازیگر خوبی هستید.»

نوید دست‌هایش را از هم باز کرد و چشم‌هایش گشاد شد. «منظورم توی دنیای واقعیه، نه روی صحنه.»

پریناز سرش را تکان داد و در حالی که لبخندی بر لب داشت، گفت: «فهمیدم.»

«فکر نمی‌کنم مسأله خنده‌داری مطرح باشه. هر چند همه این حرف زدن‌ها مضحکه. هیچ وقت فکر نمی‌کردم توی گره داستان بیفتم و چنین حرف‌هایی بزنم.»

این بار پریناز دست‌هایش را روی سینه گره کرد. «پس شما در نوع خودتون بی‌نظیرید؛ منظورم در قشر مردهاست. همه خصوصیاتی که از خودتون می‌گید بر خلاف خصوصیات مردانه است که فقط و فقط از روی هوای نفسشون حرف می‌زنند.»

نوید دست‌هایش را توی جیبش کرد و در حالی که ابروهایش در هم گره خورده بود، گفت: «فکر می‌کردم نباید ولتون کنم تا در افکار خودتون یا بهتره بگم در اشتباهات خودتون بمونید. اما می‌بینم که شما فقط و فقط یه زاویه دید دارید و نمی‌تونید دنیا روطور دیگه‌ای ببینید.»

پریناز، آزرده گفت: «نمی‌خوام که در افکار خودم بمونم.اما چیزی هم تا حالا خلافش رو ثابت نکرده.»

«خوب اگه من بگم فقط تا آخر عمر هم‌صحبت شما می‌مونم و چیزی نه از شما نه از کس دیگه‌ای نمی‌خوام، نظرتون عوض می‌شه؟»

«این حرف خیلی احمقانه است. مثل این که بگید دیگه آب نمی‌خورم.» «پس شما چطوری می‌خواین کسی بهتون چیزی رو ثابت کنه؟»

پریناز سرش را تکان داد. «نمی‌دونم.»

نادیا از چند قدمی به آنها نزدیک شد. نوید نگاهی به نادیا انداخت. چرخی زد و گفت: «خدانگهدار!»

نادیا که نزدیک شد. نوید داشت از پله‌ها پایین می‌رفت. «بحث داغتون رو خراب کردم.»

«خیلی هم داغ نبود.»

و بعد ادامه داد: «نادی فکر می‌کنم ده سال دیگه واسه تمام این

لحظه‌ها دلم تنگ بشه. مخصوصاً برای مواقعی که با هم می‌ریم سینما عصر جدید. همین حالا هم دلم تنگ شده.»

«خوب می‌تونیم الان بریم. چه فیلمی ببینیم؟»

«راستش فیلمش مهم نیست. یعنی اکثر موقع‌ها اهمیتی نمی‌دم که چه فیلمی ببینیم. چون اگه اهمیت بدم می‌شم مثل آقای اکبری. دکوپاژ، بازی، کارگردانی، فیلمبرداری، فیلمنامه و... .»

«ای گفتی با اون موهاش که پرنده‌ها توش تخم گذاشتند.»

نادیا بازوی پریناز را گرفت. «خوب بحث رو عوض کردیا! دوستش نداری؟» پریناز خودش را به نفهمی زد. «اکبریو؟»

«نه دیوونه! نوید رو می‌گم.»

پریناز سرش را به طرف دیگه‌ای چرخاند. «راستش هنوز هومن از ذهنم بیرون نرفته. اما نمی‌دونم چه احساسی دارم.»

نادیا من و منی کرد و بازوهای پریناز را بیشتر فشار داد. «می‌دونی چی ازت می‌خواد؟»

«بهتره که ندونم. فکر کنم ندونستن، بهتر از اذیت شدنه.»

«به نظر من نوید از اون آدمایی که تو فکر می‌کنی، نیست.»

پریناز لبخندی زد. «هیچ کس اون‌طوری که آدم فکر می‌کنه، نیست.»

معنایی برای خوشبختی وجود ندارد. وجود ما لبریز از خوشبختی‌ها و بدبختی‌هایی است که خودمان در ذهن‌مان ردیف کرده‌ایم. خیلی وقت‌ها حاشیه‌ها هستند که زندگی را می‌سازند.

فصل چهاردهم

چند هفته‌ای از پویان خبری نبود. نمی‌دانست انتخابش به خاطر پویا است یا مسعود یا خودش؟ شاید هم از این می‌ترسید که چطور در چشم‌های دیگران، حقیر و بی‌ارزش جلوه کند. وقت‌هایی که پویان را می‌دید چنین احساسی نسبت به خود داشت. چشم‌ها! چشم‌هایی که همه جا دنبالت می‌کنند؛ آن هم نه تنها چشم‌هایی که در کوچه، بقالی و باشگاه و هزار جای دیگر است، بلکه چشم‌هایی خیلی بزرگ‌تر آزارش می‌داد؛ آن چشم‌ها در دلش بود. همیشه با این سؤال مواجه می‌شد که چرا حالا به فکر احساسات خودش افتاده است؟ حتی اگر تمام دنیا برایش دست می‌زدند و هورا می‌کشیدند، وقتی به نگاه‌های معصومانه پویا فکر می‌کرد، نمی‌توانست. دلیلی نداشت، جز دوری‌های مداوم مسعود. گِله‌اش همین بود؛ تنهایی! نمی‌خواست یا نمی‌توانست احساسش را با مسعود تقسیم کند. نمی‌توانست بپذیرد که این سرنوشت محتوم اوست و راهی جز این ندارد؛ همان‌طور که طی نسل‌ها زنان خود را فدای خانه‌ها و فرزندانشان کرده بودند. حالا که به این‌جا رسیده بود، نمی‌توانست آن‌طور که پیش از این زن‌های قدیمی را احمق فرض می‌کرد، بیندیشد. همیشه فکر می‌کرد، چطور دختر

سیزده ساله‌ای زن مردی می‌شد و پشت سر هم بچه می‌زایید و تا آخر عمر معنای عشق را نمی‌فهمید. هر چه بود، حالا خودش هم همان کار را می‌کرد و حقی هم به خود نمی‌داد که جور دیگری رفتار کند. اما مطمئن نبود که با این انتخاب، پسرش زندگی بهتری خواهد داشت؛ گرچه امیدوار بود این‌طور باشد.

زمان‌هایی که مسعود روبه‌رویش قرار می‌گرفت، با خود فکر می‌کرد، چطور می‌شود عشق را ساخت. به چشم‌های مسعود نگاه می‌کرد و سعی می‌کرد همه‌ی چیزهایی را که در اوست دوست بدارد.

زمان کِش می‌آمد. در خانه بند نمی‌شد. مدام پویا را با خود به پارک و سینما می‌برد، با الهام قرار می‌گذاشت، دوستانش را دعوت می‌کرد و ساعت‌ها پای تلفن با مادر و خواهرش حرف می‌زد.

اما چیزی نگذشت که فهمید دیگر هیچ کجا، جایی ندارد. دیگر نه با کسی بیرون می‌رفت و نه حتی تلفن را جواب می‌داد. چیزی در دلش مرده بود. اگر نفس می‌کشید فقط به خاطر پویا بود و این که بی‌مادر نشود. نمی‌دانست بی‌مادری بدتر است یا مادری افسرده داشتن. اما او، بودن را برای پسرش ترجیح می‌داد. اگر به خودش بود، غذا هم نمی‌خورد. ساعت‌ها می‌نشست. کتاب می‌خواند و فکر می‌کرد. مسعود دو سه هفته‌ای بود که نیامده بود و زیاد هم با هم حرف نزده بودند.

آن روز صبح در حالی که روی تخت دراز کشیده بود و کتاب می‌خواند، زنگ در را شنید. هر چه صبر کرد صدای زنگ قطع نشد. بعد هم صدای زنگ تلفن. انگار کسی به در می‌کوبید. صدای فریاد هم

شنید. از جایش بلند شد و تلوتلو خوران در را باز کرد. الهام پشت در بود و مشت‌هایش توی هوا جا مانده بود. دهانش باز شد تا چیزی بگوید. اما به جای آن به جلو خم شد و زیر بازوهای شهرزاد را گرفت. شهرزاد را به طرف مبل برد و روی آن نشاند. دستی به سر و صورت شهرزاد کشید. «چرا این شکلی شدی؟»

شهرزاد به سختی گفت: «چه شکلی؟»

«چکار با خودت کردی؟ این‌طوری که می‌میری؟ راستش من فکر کردم بلایی سرت اومده. داشتم سکته می‌کردم. اگه دیرتر درو باز کرده بودی حتماً درو می‌شکستم. معلومه چته؟»

شهرزاد سرش را تکیه داد به تشک مبل. «من چرا شکل هیچ کس نیستم؟»

الهام که نبض شهرزاد را گرفته بود و به ساعتش نگاه می‌کرد گفت: «هیچ کس شکل هیچ کس نیست.»

«نه نیست. ولی چرا من هیچ کس رو نمی‌فهمم و نمی‌خوام بفهمم. چرا این‌طوری شده؟ درسته که یه آدم به درد نخور زنده بمونه؟»

«حالا کی گفته تو به درد نخوری؟ هیچ چیزو خدا بدون دلیل نیافریده.»

«شاید دلیل به وجود اومدن من پویا بوده و حالا دیگه من به دردی نمی‌خورم! شایدم به این دلیل به وجود اومدم که بفهمم به هیچ دردی نمی‌خورم؟»

«بگو ببینم، راستش رو بگو چی شده؟»

اشک توی چشم‌های شهرزاد جمع شده بود. «الهام من هیچ کس رو

دوست ندارم. حوصله حرف زدن با هیچ کس رو ندارم.»

«حتی پویا رو؟»

«پویا رو هم به خاطر هورمون‌های مادرانه دوست دارم. نمی‌دونم شایدم چون فکر می‌کنم جزئی از خودمه. اما راستش خودم رو هم دوست ندارم.»

الهام دست‌هایش را دور شانه‌های شهرزاد حلقه کرد. شهرزاد سرش را روی شانه‌های الهام گذاشت و گریه کرد.

«باید ببرمت دکتر.»

«نه الهام! دکتر رفتم. دکترا فقط می‌خوان پول بگیرن. چه کار می‌خوان بکنن؟ می‌خوان به من بقبولونن که من اون چیزی که هستم، نیستم. که من دوست داشتنی‌ام. به درد دنیا می‌خورم. که چقدر آدم‌های دیگه با ارزشن؟ یا چند تا قرص بِدَن که تمام روزو بخوابم. الهام خسته شدم. اگه پویا نبود آن قدر یک جا می‌نشستم تا بمیرم.»

«الانم تقریباً داری همین کارو می‌کنی. نمی‌گی بچه روانی می‌شه. حتماً هر روز که می‌آد خونه با این ریخت و شمایل مواجه می‌شه. به خودت فکر نمی‌کنی، به اون فکر کن.»

الهام از جایش بلند شد. «موبایلت کجاست؟»

«توی اتاقه.»

الهام به طرف اتاق رفت و موبایل شهرزاد را با خودش بیرون آورد و شروع کرد به شماره گرفتن. «سلام، من الهامم... شهرزاد خوب نیست... معلومه اصلاً شما کجایید؟... هرچی زودتر برگردید، شده همین امشب... آره این‌جاست.» الهام گوشی را گرفت طرف شهرزاد.

«مسعوده، با تو کار داره.» شهرزاد سرش را تکان داد اما الهام گوشی را گرفت دم گوش شهرزاد.

«سلام... خوبم... نه یه کمی خسته بودم. حوصله نداشتم جواب بدم... به خاطر من نمی‌خواد خودتو اذیت کنی... باشه.»

شهرزاد تلفن را قطع کرد. الهام لبخندی زد. «دیدی کاری نداشت. دو کلمه حرف می‌زنی دیگه.» شهرزاد چشم‌هایش را بست.

پویا گونه شهرزاد را بوسید و بیدارش کرد. هنوز روی مبل بود. «سلام مامانی. خوبی؟»

شهرزاد لبخند زد. «آره پسرکم خوبم.»

از آشپزخانه سر و صدا می‌آمد. «خاله الهام برام ماکارونی پخته.» شهرزاد دستی به موهایش کشید و از جایش بلند شد. الهام توی آشپزخانه مشغول چیدن میز بود. شهرزاد ایستاد دم آشپزخانه.

الهام برگشت و شهرزاد را دید که نگاهش می‌کند. «برو سرو صورتتو بشور موهاتو شونه بزن بیا که غذا حاضره.»

«چرا بیدارم نکردی؟»

«بیدار شدی دیگه.»

«ببخشید تو هم از زندگیت افتادی.»

«اگه به درد این موقع‌ها نخورم پس به چه دردی می‌خورم؟»

شهرزاد تکیه داد به دیوار. «نمی‌دونم چرا اصلاً انرژی ندارم. همین‌طور بیخودی!»

الهام قاشق و چنگال‌ها را توی بشقاب‌ها می‌گذاشت. «برو برگرد تا ببینم چته.»

شهرزاد دست و صورتش را شست. موهایش را شانه و لباسش را عوض کرد. هنوز هم توی آینه چهره‌اش رنگ پریده بود. سعی کرد لبخندی بزند. می‌دانست که لبخندش نمایشی است؛ برای همین هم از قیافه خودش خوشش نیامد.

به آشپزخانه که رفت، الهام داشت ظرف ماکارونی را می‌گذاشت روی میز. پویا پشت میز نشسته بود، پاهایش را که با زمین فاصله داشت، تکان می‌داد و قاشق و چنگالش را در دست آماده گرفته بود. الهام لبخندی به پویا زد و به شهرزاد که به پویا چشم دوخته بود نگاه کرد.

شهرزاد سعی کرد به چیزی فکر نکند و دنیا را همان‌طور که هست ببیند. چند روزی بود که درست غذا نخورده بود. غذا که تمام شد تازه فهمید که چقدر گرسنه بوده است. با لبخند به پویا گفت: «بابا امشب می‌آد. گفت با اولین هواپیما که بتونه خودشو می‌رسونه.»

پویا که هنوز در حال خوردن بود. چنگالش را بالا آورد و با صدایی که به سختی قابل تشخیص بود گفت: «آخ.. ج. و. ن.»

حقیقت را نمی‌بینیم و تصورش می‌کنیم. آسمان آبی هنوز جایی، پشت خاکستری‌ها پنهان است.

فصل پانزدهم

چند روزی بود که نسرین خانه خواهرش بود. فرهاد بعد از این که نسرین را به خانه خواهرش آورد و بعد بچه‌ها را، نه پیدایش شد و نه زنگ زد.

خواهرش هر وقت می‌پرسید «چرا آقا فرهاد نمیان این جا؟»

می‌گفت: «همین حالا زنگ زد و گفت که کمی کار داره و چون دیر وقت می‌رسه دیگه مزاحم نمی‌شه.» نمی‌توانست خودش را هم قانع کند، چه برسد به خواهرش. گاهی وقت‌ها سیاوش شماره فرهاد را می‌گرفت. با فرهاد حرف می‌زد. اما هیچ وقت فرهاد، سراغی از نسرین نمی‌گرفت.

چند روزی که گذشت خواهرش طاقت نیاورد. کنار دستش نشست. «نسرین جون، نمی‌خوام دخالت کُنما. خیلی هم خوشحالم که این‌جا پیش‌منی. اما بهتره زودتر بری سر خونه زندگیت. توی خونه خودت استراحت کنی بهتره. چه می‌دونی نیستی زندگیت به کجا می‌کشه! می‌دونی که مردمم حرف در می‌آرن. خوبیت نداره.»

آن موقع بود که فهمید که همه آدم و عالم خبر دارند که فرهاد برای نسرین دیگر تره هم خُرد نمی‌کند. این بود که باروبندیلش را بست و

آژانس گرفت و راهی خانه شد. در راه بود که سروش تلفن نسرین را برداشت و به فرهاد زنگ زد. «بابایی ما داریم می‌آیم خونه.» اما زود قطع کرد.

نسرین پرسید: «چرا قطع کردی؟»

سروش سرش را کج کرد. «بابا گفت باشه و الان جلسه داره.»

خانه که رسیدند همه چیز مرتب بود. ظرفها شسته و روی گاز، چایی دم‌کرده حاضر بود. سیاوش ساک نسرین را کشان کشان به اتاق برد. نسرین هم روی تخت دراز کشید. درد داشت. دستش را روی شکمش گذاشت. دیگر دستش بالا نمی‌آمد. به سقف نگاه کرد سایه‌هایی روی سقف تکان می‌خوردند؛ سایه درختان که به هم گره خورده بودند. آن‌قدر به سایه‌ها نگاه کرد که خوابش برد.

«مامان، تلفن. مامان نسرین.»

نسرین چشم‌هایش را باز کرد. سیاوش گوشی تلفن را گرفت طرف نسرین. «دوستتون.»

تلفن را گرفت. «سلام... ممنون مرسی... منو؟ کی؟... من و فرهاد؟... نه ما ظهر رسیدیم... شاید فرهاد نبوده؟... نه... .»

تلفن را قطع کرد. چشم‌هایش خیره شده بود روی سقف. تلفن دوباره زنگ زد. صدای زنگ تلفن دور سرش می‌چرخید. سایه‌های لرزان درختان تا روی دیوار کشیده شده بود.

سیاوش آمد داخل اتاق. «نمی‌خوای تلفن رو جواب بدی مامان.»

نسرین سرش را تکان داد. «نه.»

صدای تلفن قطع شد. نسرین رو به سیاوش کرد. «بیا کمک کن بلند

شم.» سیاوش نزدیک شد و بازوهای نسرین را گرفت. نسرین بلند شد. ملحفه و روتختی و لحاف را جمع کرد. «پسرم برو از توی آشپزخونه کیسه زباله بیار.»

«کجاست؟»

«توی کشوی دوم.» سیاوش از اتاق بیرون رفت و چند دقیقه بعد با چند کیسه زباله بزرگ وارد اتاق شد. نسرین لحاف و ملحفه‌ها را تا کرد و چپاند توی کیسه‌ها. بعد رفت و از کمد چند ملحفه نو درآورد و روی تخت کشید.

حمام رفت و حسابی خودش را شست. لباس‌های تمیز به تن کرد و روی تخت خوابید. وقتی پتوی نو را روی خود می‌کشید نفس عمیقی کشید. تصاویر جلوی چشم‌هایش رژه می‌رفتند.

با صدای بلند تلویزیون نسرین از خواب پرید. از جایش بلند شد. «سیاوش! صدای تلویزیون رو کم کن.» کسی جوابی نداد و صدای تلویزیون هم کم نشد.

نسرین از تخت پایین آمد و در حالی که ابروهایش را در هم گره کرده بود از اتاق آمد بیرون. «مگه نگفتم... .» فرهاد را که دید، حرفش نیمه تمام ماند. سیاوش و سروش هم کنار فرهاد روی مبل نشسته بودند و در حالی که ذرت بو داده می‌خوردند زل زده بودند به تلویزیون. صدای گزارشگر بلندتر شد.

سروش گفت: «مامان بیا فوتبال.» فرهاد نه سلام کرد و نه حتی نگاهی به نسرین انداخت. نسرین تازه متوجه شده بود که هاج‌وواج به فرهاد نگاه می‌کند. به اتاق برگشت. جلو آینه نشست. در آینه زنی

شکسته و غمگین نگاهش می‌کرد. زیر چشم‌هایش از صبح تا به حال گود رفته بود. کشوی کمد را باز کرد و کرم صورتش را روی صورتش مالید. دست‌هایش روی خطوط صورتش بالا و پایین می‌رفت. چین‌های صورتش را با دست می‌گرفت و باز می‌کرد. در ذهن تصویر بیست سالگی‌اش را تصور کرد. آن وقت‌ها نمی‌دانست زمانی می‌رسد که آن صورت زیبا و جوان را در آینه نخواهد دید. دختر خاله‌اش درست هم سن نسرین بود. ظاهر معمولی داشت. هر وقت او را می‌دید کتابی در دست داشت. حالا دختر خاله‌اش جراح بود و در آمریکا زندگی می‌کرد. خیلی بعد از نسرین ازدواج کرد. مدت‌ها تحصیلش طول کشید و در آخر با دکتر جراحی ازدواج کرد. هیچ وقت تصورش را هم نمی‌کرد که دختر خاله‌اش با آن ظاهر معمولی بتواند با کسی در آن موقعیت ازدواج کند. حالا وقتی به آینه نگاه می‌کرد، می‌فهمید که چقدر به آینه اعتماد کرده است و تمام زندگی‌اش را در آینه ساخته است. صدای فریاد فرهاد و سیاوش و سروش تکانش داد. بازوهایش را در دست گرفت. سروش دوید داخل اتاق. «مامان گل زدن.»

نسرین نگاهی به سروش انداخت، لبخند زد و بازوهایش را باز کرد تا سروش را در آغوش خود بفشارد. سروش از آغوش نسرین بیرون آمد و بیرون دوید.

نسرین دوباره به آینه نگاه کرد. زیر چشم‌هایش را سفید کرد. همان‌جا نشست و به خودش نگاه کرد.

صدای اعتراض‌آمیز بچه‌ها و فرهاد بلند شد. نسرین از جایش تکان نخورد. آن‌قدر آن جا ماند و به خودش نگاه کرد که صدای هیاهو قطع

شد. فرهاد دم در اتاق ایستاده بود و از توی آینه نگاهش می‌کرد. خیلی جوان‌تر از آنچه باید به نظر می‌رسید.

لب‌های فرهاد توی آینه تکان خورد. «غذا چی می‌خوای بخرم؟»

نسرین گفت: «از بچه‌ها بپرس. هر چی اونا خواستن منم می‌خورم.»

فرهاد داخل آینه چشم‌هایش را روی اندام نسرین لغزاند. «درد داری؟» نسرین سرش را بالا برد. «نه، اگه راه برم یه کم.»

صدای سروش و سیاوش که با هیجان غذا انتخاب می‌کردند بلند شد. «من پیتزا، من مرغ سوخاری، سیب زمینی هم می‌خوام، نوشابه...» وقتی سروصدا قطع شد. در خانه باز و بسته شد. نسرین نگاهی به شکمش انداخت. دستش را روی آن گذاشت. تغییر زیادی کرده بود اما احساس رضایت نمی‌کرد. به دخترهای جوان فکر کرد. به این که لب قرمزش که دیگر با لب‌های قرمز آنها قابل مقایسه نبود. از همه‌شان متنفر بود؛ از راه رفتنشان از شفافی چشم‌هایشان. در دلش، تحقیرشان کرد و بدوبیراه نثارشان کرد. «فکر می‌کنند فقط خودشان بیست ساله شدن.» اما قبول داشت که خیلی پیرتر به نظر می‌رسید. هم سن‌های خودش خیلی بهتر و جوان‌تر مانده بودند. چطور شد که به این‌جا رسید نمی‌دانست. اما رسیده بود و کاری هم نمی‌توانست بکند. یاد خاطراتش افتاد. در ازدواج اولش چقدر عاشق بود. سروش و سیاوش نمی‌دانستند که یک خواهر هجده ساله دارند. هیچ وقت این موضوع را به آنها نگفته بود. چند سالی دوام آورده بود و با شوهرش که معتاد شده و فقط به فکر الواطی بود، زندگی کرده بود. بعد با فرهاد آشنا شده بود. فرهاد خوش‌تیپ و خوش سر و زبان بود. نسرین که از زندگی‌اش

فراری بود، به فرهاد پناه برد و فرهاد هم که وضع او را دید از او خواست که از شوهرش جدا شود تا با او ازدواج کند. هیچ وقت نتوانست اعتیاد شوهرش را ثابت کند؛ لابد راه‌هایی بلد بود که آزمایش‌هایش همیشه منفی از آب درمی‌آمدند. همین شد که سارا را از دست داد و مجبور شد مهریه‌اش را هم بخشید. یک سال نشده بود که شوهر سابقش با سارا از کشور خارج شدند و دیگر پیدایشان نکرد. با فرهاد ازدواج کرده بود و فرهاد مثل پروانه دورش می‌چرخید. چند سالی همه چیز خوب بود، اما کم‌کم نسرین از چشم او افتاد. نمی‌دانست کدام یک از مشکلات زندگی چنان پیرش کرده بود، اما می‌توانست ببیند که دیگر آن دختر بیست و چند ساله‌ای که در چشم فرهاد می‌درخشید وجود ندارد و شاید دیگر هم نخواهد داشت. سروش و سیاوش تنها چیزهایی بودند که هنوز فرهاد را نگه داشته بود.

وقتی فرهاد برگشت سیاوش و سروش جیغ‌زنان دور خودشان چرخیدند.

همین که شروع به خوردن غذا کردند، بارش باران آغاز شد.

از پنجره برقی دیده شد و به دنبالش صدای غرشی شیشه را لرزاند. انگار آسمان می‌خواست پایین بیاید. سروش در حالی که چشم‌هایش گرد شده بود و تنش می‌لرزید غذایش را رها کرد و به کنار نسرین آمد. سیاوش هم به فرهاد چسبید. صدای باران تا ته دل نسرین شنیده می‌شد و سایه‌های پیچان درختان روی دیوار آشپزخانه می‌لرزید. صدای رعد و برق آن تا پایان شب ادامه داشت.

هرکسی عشق را به نوعی معنا می‌کند. گاهی آدم‌ها برای معنی کردن آن به کتابخانه مراجعه می‌کنند و یا مرید کسی می‌شوند. گاه نیز افرادی هستند که اندیشه خاصی درباره عشق دارند.

خیلی‌ها عشق را با قفس اشتباه می‌گیرند. گاهی حتی به این هم بسنده نمی‌کنند و برای آن‌که خیالشان راحت شود که پرنده‌شان هیچ وقت از قفس نخواهد گریخت، بال‌هایش را می‌شکنند. آن وقت هر روز برای پرنده‌شان آب و دانه می‌برند و دست‌هایشان را روی پرهای شکسته او می‌کشند و حتی برایش خط و نشان می‌کشند که نکند با این پرها هوس پریدن کنی!

فصل شانزدهم

دیگر اهمیتی نمی‌داد که چه بر سرش خواهد آمد. با این حال، همین که پاهایش را در راهروهای دادگاه گذاشت، تنش لرزید؛ راهروها پر از زن‌ها و مردهایی بود که تنها و یا بچه به بغل به دیوار تکیه داده بودند. با آن شلوغی احساس می‌کرد که وارد قبرستان شده است. آدم‌هایی که آرزوهایشان را خاک می‌کردند، دست‌های لرزان زنانی که نمی‌خواستند زنده به گور شوند و چشم‌هایی که لبریز از اشک بود و حلقه‌هایی سیاه دورشان را گرفته بودند.

وقتی برگه درخواست طلاق را پر می‌کرد، نمی‌دانست چه بنویسد. آیا همسرتان شما را کتک زده؟ بلی را انتخاب کرد و جلوی مدارک پزشکی خیر را. حمید معتاد هم نبود. سابقه بیماری روانی هم نداشت. خرج خانه را هم کم نمی‌گذاشت. دلیل درخواستش؛ عدم تفاهم. وقتی برگه را به مسئولش تحویل می‌داد، مرد زیر چشمی به گلچهره نگاه کرد. «توافقی می‌خواین جداشین؟»

گلچهره ابروهایش را در هم کرد. «نه خیر، من تنهایی اومدم.»

مرد پوزخندی زد. «با این چیزهایی که شما نوشتین اگه شوهرتون نخواد جدا شه، نمی‌تونید کاری کنید. مگه این که درخواست مهریه کنید.»

«من مهریه نمی‌خوام.»

«خانم وقت خودت و دادگاه رو بی‌خودی تلف نکن.» دوباره سرش را انداخت پایین. «بچه ندارید؟!»

«نه!»

مرد سرش را بالا آورد. «بچه‌دار نمی‌شه؟»

«گفتم که تفاهم نداریم.»

مرد دوباره مشغول بررسی کاغذهایش شد. «بازم می‌گم وقت خودتو دادگاه رو تلف نکن.»

«من می‌خوام براش احضاریه بفرستید.» چنان با صدای قاطعی این حرف را زد که مرد برگه‌اش را گذاشت داخل پرونده‌ها. «یه خرده به دورو برتون نگاه کنید. ناشکری خوب نیست.»

گلچهره رویش را برگرداند و از اتاق بیرون رفت. از بین زن‌ها و مردهای فروریخته و کج‌ومعوج گذشت. مردی وسط راهرو پرید جلویش. «خانم وکیل نمی‌خواین. بعد از گرفتن مهریه حساب می‌کنیم.»

گلچهره راهش را کج کرد. «نه آقا.»

مرد کارتش را نزدیک دماغ گلچهره گرفت. «ببینید. وکیل دادگستری.»

گلچهره برای آن که خود را خلاص کند کارت را گرفت. «همه جوره در خدمتیم.»

گلچهره اخمی کرد و دور شد. از در دادگاه که بیرون می‌آمد دختر کوچکی که کاپشن صورتی و شلوار قرمزی بر تن داشت، همراه

مادرش از روبه‌رو به طرف در دادگاه می‌رفت. به کبودی دور چشم زن خیره شد. دختر به گلچهره لبخند زد. گلچهره هم لبخند زد. از کنارش که گذشتند گلچهره برگشت و به دختر بچه نگاه کرد. دختر برایش دست تکان داد.

در راه خودش را آماده کرد که با حمید رودررو شود. دم در کفشی نبود. وارد آپارتمان شد. خانه ساکت بود؛ مانند صبح. حمید خانه نبود. به اتاق رفت و لباس‌هایش را عوض کرد. انگار باری از روی دوشش برداشته باشند. نفس عمیقی کشید. به اتاق کارش رفت. لپ تاپش را روشن کرد. مدتی بود که روی فیلمنامه‌ای وقت گذاشته بود و به آخرش نزدیک می‌شد. هر از چند گاهی به ساعتش نگاه می‌کرد و از لای در به بیرون سرک می‌کشید. ناهارش را همان‌جا خورد. ساعت از پنج گذشته بود که زنگ در به صدا در آمد از چشمی در، بیرون را نگاه کرد. حمید پشت در ایستاده بود. در را باز کرد. «مگه کلید نداشتی؟»

حمید دست‌هایش را جلو آورد. توی دستش دسته گل بزرگی از رز صورتی بود. گلچهره لبخند زد. «چقدر خوشگلن.» گل‌ها را به خودش چسباند. «مناسبتش چیه؟»

حمید در حالی که گلچهره را تا آشپزخانه تعقیب می‌کرد گفت: «مناسبت لازم نیست.»

گلچهره گلدانی از کابینت در آورد گل‌ها را توی گلدان گذاشت و توی آن را از آب پر کرد. گلدان را گذاشت روی میز جلو مبل‌های راحتی.

چند روز گلچهره سر خود را با نوشتن گرم کرد. آن‌قدر همه چیز آرام

شده بود که حتی یادش رفت که به دادگاه رفته و احضاریه پر کرده است.

حمید هم تغییر کرده بود؛ صبح‌ها آرام و بی سر و صدا خانه را ترک می‌کرد و بعد از ظهرها ساعت پنج خانه بود. قبل از آمدن تلفن می‌زد و می‌پرسید که برای خانه چیزی لازم هست یا نه؟... روزها آرام بودند و گلچهره هم توانست فیلمنامه‌اش را تمام کند و حتی طرحی جدید برای فیلمنامه بعدی‌اش هم در نظر گرفت. حمید آن شب کمی دیرتر به خانه برگشت. زنگ زد و گفت که جلسه مهمی پیش آمده و مجبور است تا دیر وقت در اداره بماند. گلچهره هم که باید صبح به باشگاه می‌رفت غذای حمید را روی گاز گذاشت. ظرف غذایش را هم روی میز قرار داد و زود خوابید. صبح که بلند شد. حمید به سر کار رفته بود. حتی ظرف غذایش را هم شسته بود. گلچهره هم راهی باشگاه شد.

از باشگاه که برگشت اوضاع مثل چند روز اخیر بود و خبری از حمید نبود. مشغول کار شد که تلفن زنگ زد. صدای آشفته نغمه پیچید توی گوشش. «چی شده؟ چرا باشگاه نیومدی؟... آره می‌تونم بیام. باشه...»

به پارک کوچک سر کوچه‌شان که رسید، نغمه را دید که روی صندلی انتهای کوچه نشسته بود. رفت و کنارش نشست.

نغمه سلام نکرده گفت: «بهم زدیم.»

«با نامزدت؟» نغمه سرش را تکان داد.

«مگه کس دیگه‌ای هم هست؟!»

گلچهره نشست کنارش و دست‌هایش را گذاشت روی دست‌های نغمه.

چشم‌های نغمه قرمز بود. «چطوری برم خونه؟»

گلچهره سرش را تکان داد. «نمی‌دونم!»

«بهش گفتم یا خودش رو تغییر بده و مرد زندگی بشه یا تموم. اونم نه گذاشت و نه برداشت و گفت تموم.»

«مگه خودت این رو نمی‌خواستی؟»

«دیگه نمی‌دونم چی می‌خوام. می‌ترسم مامانم اینا قبول نکنن.»

«چی کار می‌خوان بکنن؟ میندازنت بیرون؟»

نغمه برگشت و زل زد توی چشم‌های گلچهره. اشک در چشم‌هایش جمع شد. «بهش عادت کرده بودم. هر چی بود، خیلی وقت بود با هم نامزد بودیم. احساس خلاء شدیدی می‌کنم. دلم می‌خواد بمیرم.»

«واسه چی؟ چون احساس خلاء می‌کنی؟ هزار تا مورد بهتر برات پیدا می‌شه و بعد به خودت تبریک می‌گی که خلاص شدی.»

نغمه لبخند کم رمقی روی لبش نشست. «مورد سراغ داری؟»

«آره!» نغمه ابروهایش را بالا انداخت. «شوخی می‌کنی؟» «نه جدی جدی!» «خوب کی؟» نغمه که گویی همه چیز را فراموش کرده، لبخندش پررنگ‌تر شد. «بگو دیگه! دلم آب شد.»

گلچهره چرخید و دست‌هایش را توی سینه گره کرد. «یه مُشتلقی چیزی، همین‌جور مفتی نمی‌شه که.»

نغمه دستش را توی کیفش کرد و از توی کیفش یک شکلات درآورد و گرفت جلوی گلچهره. «این قبوله؟»

گلچهره پشت چشمی نازک کرد. «حالا!» شکلات را از دست نغمه

گرفت و در دهانش گذاشت.

نغمه دو دستش را گذاشت روی صندلی و خم شد به طرف گلچهره. چشم‌هایش را مظلومانه بـه صـورت گـلچهره دوخت. گـلچهره زیـر چشمی نگاهش کرد. بعد با هیجان دست‌هایش را روی دست‌های نغمه گذاشت. «داداشِ پریناز.»

نغمه انگار غافلگیر شده باشد، خودش را عقب کشید. «من که اولین بار بود می‌دیدمش. همون بار اول از من خوشش اومده؟»

«دیدی خیلی پرتی!»

نغمه منتظر بقیه حرف‌های گلچهره همان‌طور ساکت بـه گـلچهره نگاه کرد. «پریناز می‌گفت از دوره آمادگی می‌شناختت. انگار از همون موقع ازت خوشش می‌اومده.»

نغمه پوزخندی زد. «مگه قصه می‌گی گلچهره! کـدوم خـری تـوی آمادگی عاشق می‌شه؟» گلچهره شـانه‌هایش را بـالا انـداخت. «راسـتی راستی؟»

گلچهره سرش را به علامت تأیید تکان داد. نغمه ابروهایش را گره کرد. دسـتش را گـذاشت زیـر چـانه‌اش. گـلچهره لبـخند زد. «چکـار می‌کنی؟»

نغمه لبش را به راست و چپ حرکت داد. «جستجو.»

«خوب؟»

«هنوز که به جایی نرسیدم.» بعد لبخندی زد.

گلچهره پرسید: «بهتر شدی.»

نغمه گفت: «کلک! نکنه سرکاری بوده؟»

گلچهره سرش را تکان داد. «نه! راست راست بود.»

نغمه دست‌های گلچهره را گرفت. «بیا یه کم قدم بزنیم.»

از روی صندلی بلند شدند. بیشتر برگ درخت‌ها ریخته بودند و تنها چند برگ زرد و نارنجی و قرمزی سر درختی مانده بود. نغمه با دست‌هایش بازوهایش را گرفت. «سرد شده.»

«تازه فهمیدی؟»

«همیشه همه چیز رو دیر می‌فهمم. نمی‌دونستم به همین راحتی حال آدم عوض می‌شه.»

کمی که قدم زدند نغمه که دیگر حال و احوالش تغییر کرده بود از گلچهره خداحافظی کرد و گلچهره هم راهی خانه شد. به در آپارتمان که رسید، کفش‌های حمید دم در بود. به ساعتش نگاه کرد هنوز ظهر نشده بود. در را به آرامی باز کرد. دم در، خُرده‌های شیشه روی زمین ریخته بود. کفش‌هایش را در نیاورد و وارد خانه شد. تمام خانه بهم ریخته و ظرف‌های چینی روی زمین ریخته و خرد شده بود. چند لباس پاره شده ریخته شده بود وسط اتاق. گلچهره حمید را صدا زد اما جوابی نیامد. به طرف اتاق کارش رفت. حمید نشسته بود گوشه اتاق و دو زانوانش را گرفته بود توی شکمش. از دست دیگرش نامه دادگاه آویزان بود. گلچهره که وارد اتاق شد، هق‌هق حمید شدت گرفت. گلچهره نگاهش را سریع دور اتاق چرخاند. لپ‌تاپش سالم بود و سر جایش.

حمید زیر لب زمزمه کرد. «می‌خواستم بشکونمش. نتونستم.» گلچهره نفسی عمیق کشید و نشست روی صندلی گوشه اتاق.

حمید نامه را به طرف گلچهره بالا گرفت. «تو اینو می‌خوای؟»

گلچهره سرش را پایین انداخت. حمید ادامه داد. «من که داشتم همونی می‌شدم که تو می‌خواستی.»

گلچهره سرش را بلند کرد. «واقعاً من رو هم داشتی گول می‌زدی. شانس آوردم که خونه نبودم.» حمید ساکت شد و سرش را تکیه داد به پاهایش. چند دقیقه‌ای در سکوت گذشت. گلچهره فکر کرد که اگر خانه بود چه اتفاقی می‌توانست بیفتد؛ چطور تنهایی، آن هم با این بال و پر شکسته، دوام بیاورد. ازکجا باید شروع کند. ته دلش خالی شد. همان موقع بود که دوباره صدای حمید بلند شد. «می‌خواستم هم تو رو بکشم هم خودم رو.»

گلچهره رفت و نشست کنار حمید. حمید هم مثل همیشه سرش را گذاشت روی پاهای گلچهره و زل زد به چشم‌هایش.

دل آدمها هم، رنگ دارد؛ گاهی زرد و قرمز و نارنجی، گاهی هم سیاه سیاه، گاهی مثل زمستان سرد و گاه مثل تابستان گرم، اما امان از زمانی که دل آدم سنگ شود. هیچ راه گریزی نیست. هر جا می‌روی انگار وزنه‌ای چند تنی به خود بسته‌ای و قدرت حرکت نداری. گاهی هم در اعماق دل آدم می‌سوزد. و زمانی می‌فهمی که فریادش از گلویت خارج شده.

فصل هفدهم

چند هفته‌ای بود که پریناز نوید را زیر نظر داشت. نوید دیگر نه سراغش را می‌گرفت و نه سر راهش سبز می‌شد. هر وقت، هم مسیر می‌شدند، سلام کوتاهی می‌کردند و از کنار هم عبور می‌کردند. کم‌کم نوید را که می‌دید تپش قلب می‌گرفت. در دل به خودش بد و بیراه می‌گفت و بارها تمرین می‌کرد و فکر می‌کرد و فلسفه بافی می‌کرد که چه کند و چه بگوید و بعد تصور می‌کرد که چه جوابی خواهد شنید، اما هر وقت که می‌خواست به طرف نوید برود پاهایش سست و دست‌هایش لرزان می‌شد و بالاخره از حرف زدن منصرف می‌شد.

کنار نادیا روی پله‌های جلو جهاد دانشگاهی نشسته بود.

نادیا نیشگونی از پریناز گرفت. «چیه؟ به چی فکر می‌کنی؟»

«به این که نوید به چی فکر می‌کنه؟»

نادیا چشمکی زد. «خوب معلومه به تو. در ضمن فکر کنم زیادی خودت رو دست بالا گرفتی که مردم عاشق چشم ابروت شدن.»

پریناز نفس عمیقی کشید. همان موقع بود که نوید از پشت ساختمان سروکله‌اش پیدا شد. چشم در چشم هم شدند. نوید به طرفش آمد. پریناز هم از جایش بلند شد. نادیا زمزمه کرد. «قانون

جاذبه.» پریناز بلند شد به طرف نوید حرکت کرد. به هم که رسیدند، پریناز گفت: «سلام.» دست‌هایش را بالا آورد. نوید گفت: «سلام.»

پریناز گفت: «این فیلمنامه جدیدمه. می‌شه بخونیدش نظرتون رو بدید؟»

نوید با قیافه جدی گفت: «به شرطی که نگید نظرمو درست نگفتم و....»

پریناز نگذاشت نوید حرفش را تمام کند. «ببخشید. واقعاً معذرت می‌خوام.» نوید فیلمنامه را از دست پریناز گرفت. «خیلی خوب! پس منم فیلمنامه رو می‌خونم.»

پریناز برگشت. نادیا به طرف پریناز رفت. «باید بریم سر کلاس.» پریناز سری برای نوید تکان داد. نوید هم با نگاه بدرقه‌اش کرد.

نادیا گفت: «کاش نیوتن زیر درخت نارگیل نشسته بود.»

«خوب چی می‌شد؟»

«هیچی دیگه زنده نمی‌موند قانون جاذبه رو کشف کنه.»

«بالاخره یکی دیگه پیدا می‌شد زیر درخت سیب بشینه.»

«جوک رو بیمزه‌اش نکن بابا. چی شد تو که فرار می‌کردی از دست نوید؟»

پریناز جوابی نداد.

روز بعد هنگام بالارفتن از پله‌های دانشگاه، نوید را دید. «سلام.»

نوید در حالی که سرش را تکان می‌داد گفت: «سلام.» و از لای کلاسورش فیلمنامه پریناز را درآورد و به طرفش دراز کرد.

پریناز فیلمنامه را گرفت و زل زد به نوید. «خوندینش؟»

نوید یکدستش را تکیه داد به دیوار. «بله.»

«خوب؟»

«یه کاغذ آخر فیلمنامه اضافه کردم و نظرم رو نوشتم.» این را گفت و از پله‌ها پایین رفت. پریناز نگاهی به فیلمنامه و نوید که در حال خارج شدن از درِ دپارتمان بود، انداخت. نوید قبل از خروج سرش را برگرداند و خداحافظی کرد.

پریناز چند لحظه سر جایش ایستاد. بعد فیلمنامه را باز کرد و شروع کرد به خواندن کاغذی که نوید روی آن برایش توضیحاتی نوشته بود. در آخر نامه یادآور شده بود: «برای اطلاعات بیشتر با من تماس بگیرید.» لبخندی زد و آهسته از پله‌ها بالا رفت. سر کلاس چند بار نامه را از اول تا آخر خواند. توضیحات نوید درباره اشکالات و نقاط قوت صحنه‌ها چنان به دلش نشسته بود که انگار نامه عاشقانه می‌خواند. به خانه که رسید دقایق را شمرد تا شب شود و شماره نوید را بگیرد. حتی گذاشت یکی دو ساعت هم از تاریکی بگذرد. بالاخره گوشی تلفن را برداشت. شماره را با سرعت گرفت. صدای بوق چقدر طولانی به نظر می‌رسید.

صدای نوید در گوشی پیچید. «سلام.»

پریناز گفت: «سلام.» و ساکت شد.

چند ثانیه هر دو ساکت بودند و ناگهان همزمان هر دو گفتند. «خوب؟» از این تصادف هر دو خندیدند.

پریناز گفت: «نامه‌ی خیلی رسمی و خوبی بود.»

نوید که صدایش رسمی شده بود گفت: «غیر از این انتظار داشتید؟»

پریناز گفت: «نمی‌دونم دوست داشتم یه کمی احساساتتون رو هم در ارتباط با فیلمنامه‌ام می‌نوشتید.»

«اونوقت محکوم به سوء تفاهم نمی‌شدم؟ چون همیشه آدمی عادت کرده که احساس را مبتنی بر پوچی بدونه و گاهی هم مثل بعضی‌ها براساس هوای نفس، که اگر برآورده شد، احساس هم همراه آن از بین می‌ره.»

«طعنه نزنید. نمی‌خواستم اون رفتارها رو باهاتون بکنم. فقط ذهنیت بدی راجع به این موضوع داشتم. هر وقت هم خواستم ذهنیتم رو عوض کنم یه چیزی عکسشو ثابت کرده.»

«نمی‌خوام بگم خاطره و تجربه چیزهای بیخودی‌ان. در عین این که باید محتاط باشین در عین حال باید این احتمال رو هم بدین که شاید یک در هزار برعکسش اتفاق بیفته.»

«مشکل همین‌جاست. من اهل احتیاط نیستم و تا به حال هم نتونستم؛ برای همین پیشاپیش انصراف می‌دم که خطری متوجه‌ام نشه؟»

«در رابطه با منم می‌خواین انصراف بدین؟»

«بهتره راجع به اطلاعات بیشتری که توی نامه‌تون نوشتید با هم صحبت کنیم. قرار بود بیشتر بگید و حالا که بحثمون به این جا کشیده، دوست دارم که از احساستون راجع به فیلمنامه هم صحبت کنید.»

نوید نفس بلندی کشید. «راستش من می‌خواستم بهتون پیشنهاد کنم که اجازه بدید من نقش اول این فیلم رو بازی کنم. خیلی فیلمنامه نوئیه. هر چند متوجه شدم که به خاطر نبود امکانات، می‌خواید که هر

دو هنر پیشه یکی باشند اما همین موضوع همون‌طوری که خودتون اشاره کرده بودید می‌تونه همون نقطه سفید و سیاهی رو نشون بده که در همه ما هست و ما هستیم که اون نقطه‌ها را انتخاب می‌کنیم و به جایی می‌رسیم که سیاه یا سفید می‌شیم. خلاصه احساسم اینه که دوستش دارم و اگر خوب کارگردانی بشه به موفقیت چشمگیری دست پیدا می‌کنه. اون پیشنهادهایی را هم که راجع به صحنه و غیره توی اون کاغذ براتون نوشتم لازمه‌ی این موفقیته.»

پریناز چند ثانیه سکوت کرد بعد شمرده شروع به حرف زدن کرد. «نمی‌دونم چرا هر وقت کسی از کارم تعریف می‌کنه احساس می‌کنم حقیقت نداره.»

«می‌فهمم چی می‌گید. این فقط مربوط به شما نیست. این یک مسأله فرهنگیه. از بچگی به ما یاد دادند که به دروغ از دیگران تعریف کنیم و نظر واقعیمون رو ندیم؛ همین‌طور که تحمل شنیدن حقیقت رو نداریم. اگه مشکلی یا ایرادی داشته باشیم کسی جرأت نداره بگه چون عادت به شنیدن عیب‌هامون نداریم و عصبانی می‌شیم. وقتی از بچگی همچین چیزی رفته باشه توی مغزتون، هر وقت از ما تعریف می‌کنن، مغزمون یک پالس می‌فرسته که حرفش رو باور نکن؛ تعارف می‌کنه یا به عبارت روشن‌تر دروغ می‌گه.»

«آره وقتی حتی نمی‌شه به کسی گفت بالای چشمات ابروهه، دیگه چی می‌شه انتظار داشت؟! این احساس رو همیشه داشتم. در هر موردی که کسی از من تعریف می‌کرد این احساس رو داشتم. اما از شما خواهش می‌کنم که ایرادای کارم رو بگید و من سعی می‌کنم بر فرهنگ

ناراحت شدنم هم غلبه کنم.»

«فکر کنم که اینکار رو کردم. یه چیزی هم یادتون باشه اونم اینه که فقط به نظر خودتون اهمیت بدین تا نظر منفی دیگران ناراحتتون نکنه.»

«این‌طوری که هیچ وقت اصلاح نمی‌شم.»

«چرا، این‌طوری چشم‌هاتون رو باز می‌کنید و می‌فهمید که باید با دید منتقدانه به خودتون نگاه کنید و منتقد اول خودتون، خودتون باشید و منتظر تأیید یا تکذیب دیگران نباشید. چون همه آدم‌ها هم از روی احساس واقعی یا شناخت واقعی، تکذیب نمی‌کنند، بلکه ممکنه کارشون از روی نادانی و حسادت باشه. اگه شما تسلیم حرف دیگران بشید، زود ناامید می‌شید. در ضمن با این کار می‌تونید تشخیص بدید که کدام حرف به شما کمک می‌کنه و شما رو به مقصدتون می‌رسونه.»

«اینایی که می‌گید همش در تئوری قابل اجراست. منم حرفهای خوب، خیلی بلدم ولی پای عمل که می‌رسه نفر آخرم.»

لحظه‌ها و ثانیه‌ها خیلی زود گذشتند و نوید و پریناز حرف‌های زیادی برای گفتن داشتند که تا آن موقع نگفته بودند و نشنیده بودند. این باعث شد تقریباً تا نیمه‌های شب حرف زدنشان طول بکشد و بعد هم از خستگی و نه‌اتمام حرف‌ها، تلفن را قطع کردند. هر چند ذهن هر دویشان آن‌قدر مشغول بود که چند ساعتی را هم در رختخواب جابه‌جا شدند تا شاید خواب به چشم‌هایشان بیاید.

فردا صبح، روزی آفتابی بود. باد پاییز می‌رفت که جایش را به سرمای زمستان بدهد. دیگر از برگ زرد، خبری نبود. پریناز فکر کرد

این دل آدم است که فصل‌ها را باور می‌کند. از گرمای آفتاب لذت برد و فراموش کرد که هیچ وقت زمستان را دوست نداشته است. راه خانه تا دانشگاه خیلی متفاوت شده بود؛ دیگر چشم‌هایش چیزهای قشنگ زیادی را در راه می‌دید. سعی نمی‌کرد بلکه واقعاً با همیشه فرق داشت. از دل رنگ‌های چرک و سیاه حالا رنگ‌های زیبایی بیرون می‌زد. تابلوی مغازه، پیراهن یک پسر بچه، دیوار نقاشی شده و رنگین، رنگ ماشین‌ها، همه و همه، شادی قلبش را مضاعف می‌کردند. وقتی به دانشگاه رسید روی نیمکت سبز روبه‌روی ورودی نشست. نگاهی به ساعتش انداخت. سرش را که بلند کرد، نوید را دید در حالی که نور آفتاب به موهایش می‌تابید به طرفش می‌آمد. یاد فیلم غرور و تعصب افتاد، صحنه‌ای طولانی که دارسی از دور به طرف الیزابت می‌آمد. نوید درست مثل دارسی شده بود. انگار نوید ذهن پریناز را خواند چون در یک لحظه دست‌هایش را مثل دارسی به راست و چپ تکان داد و قدم‌هایش را هم مانند او کرد. پریناز آن‌قدر در این صحنه ماند که با صدای نوید از جایش پرید. «سلام خوب خوابیدین؟»

پریناز گفت: «معلومه؟»

نوید لبخندی زد. «قیافه من چی؟ معلومه؟»

پریناز جوابی نداد و فقط لبخند زد.

نوید گفت: «موافقید کلاس نریم بریم موزه هنرهای معاصر؟»

پریناز گفت: «شوخی می‌کنید؟»

نوید گفت: «نه! بد نیست که هر از چند مدت، سری به هنر روز بزنیم.»

رازی در سینه‌داری. رازی که پنهان کردنش برایت چون خیانت است. سینه‌ات را می‌فشارد و روز و شب آزارت می‌دهد. دیگر تاب زیستن نداری؛ می‌دانی که گفتن آن راز ممکن است زندگی‌ات را نابود کند.

فصل هجدهم

خسته بود و دیگر تحمل مخفی کردن کلماتی را که سال‌ها در دلش پنهان کرده بود، نداشت. دلش می‌خواست دهانش را باز کند و همه چیز را اعتراف کند. به همین دلیل هم، از زمانی که مسعود آمده بود. نمی‌توانست چیزی بگوید. وقتی مسعود بالای سرش می‌نشست و موهایش را نوازش می‌کرد، تنها کاری که می‌توانست بکند، گریه بود. اشک از گوشه چشم‌هایش جاری می‌شد و مسعود همان‌طور که نوازشش می‌کرد با دستمالی، اشک‌هایش را پاک می‌کرد. مسعود اصرار داشت که به دکتر بروند اما قبول نمی‌کرد. مسعود هم ماندنی شده بود.

یک هفته که گذشت، یک روز مسعود، شهرزاد را جلو خود نشاند و دست‌هایش را در دست گرفت. به چشم‌هایش خیره شد. «می‌خوای دیگه همین‌جا توی تهران کار کنم؟» شهرزاد سرش را پایین انداخت و چیزی نگفت. مسعود ادامه داد: «مشکلت اینه؟ بهم بگو چی شده؟ چرا با من حرف نمی‌زنی؟ من بمونم مشکلت حل می‌شه؟ حالت خوب می‌شه؟ این‌طوری پویا رو دق می‌دی هیچی، منم از غصه می‌میرم.»

شهرزاد لبخندی روی لبش نشست. چقدر به خاطر خودخواهی خودش باید بقیه را هم عذاب می‌داد؟!

«می‌یای بریم دنبال پویا؟ ناهار بریم رستوران و بعدشم پارک، سه تایی خوش بگذرونیم؟» شهرزاد همان‌طور که لبخندش را روی صورتش حفظ می‌کرد، سرش را تکان داد. مسعود از جایش بلند شد و دست‌های شهرزاد را کشید و بلندش کرد.

جلو مدرسه، پویا با دیدن شهرزاد و مسعود با خوشحالی به طرفشان دوید. لبخند تمام صورتش را پوشانده بود. دست‌هایش را از خوشحالی تکان می‌داد و بالا و پایین می‌پرید. سوار ماشین که شدند، پویا شروع کرد به تعریف کردن از خبرهای روز. این که دیکته بیست شده و بغل دستیش هم با این که دو تا غلط داشته باز بیست شده و این که معلمشان به همه مشق داده اما برای تشویق به او که اصلاً توی دیکته‌اش غلط نداشته، مشق نداده. مسعود و شهرزاد با خوشحالی به حرف‌های او گوش می‌کردند و گاه نیم نگاهی به یکدیگر می‌انداختند. از غوغای درون شهرزاد کم شده بود. تازه معنی خانواده را احساس می‌کرد. جایی که پسر کوچکی تمام درد دل‌هایش را با خود همراه می‌برد. جایی که می‌توانی با آسودگی نفس بکشی و با اطمینان بگویی که این جا امن است. عشق شاید همین باشد؛ همین نگاه‌های مشتاقانه مسعود به پویا. همین خوشحالی و شیرین زبانی‌های پویا. تا به رستوران برسند، افکار شهرزاد از حرف‌های جدیدی پر شد؛ حرف‌هایی که هیچ وقت به آنها اهمیت نمی‌داد یا شاید فکر می‌کرد جزئی از زندگی است. حالا می‌فهمید چیزهایی را که فکر می‌کنیم تنها جزئیاتند، قطعات اصلی‌ای هستند که ما به آنها بی‌توجه بوده‌ایم.

روبه‌روی مسعود و پویا نشست. پویا با خوشحالی پیتزای مورد

علاقه‌اش را انتخاب کرد. «بابایی من یه دونه درسته می‌خواما.»

مسعود لبخند زد. «اصلاً دو تا برات سفارش می‌دم.»

پویا با تمام وجود خندید. «مرسی بابائی! ولی همون یکی بسمه.»

مسعود سر پویا را با دست گرفت و لبش را روی سرش گذاشت. بعد رو به شهرزاد کرد. «تو چی می‌خوری؟»

شهرزاد بدون آن که نگاهی به لیست غذا بیندازد گفت: «مثل همیشه.»

پیشخدمت بالای میزشان آمد و سفارششان را یادداشت کرد.

خانواده‌ای سه نفره که دختر بچه‌ای داشتند، روبه‌روی آنها نشسته بودند. دختر بچه مدام به پویا اشاره می‌کرد. پویا لبخندی به دختر بچه زد و به طرف شهرزاد برگشت. «مامانی یه خواهر کوچولو برام می‌آری؟»

شهرزاد که غافلگیر شده بود لحظه‌ای من و من کرد، نگاهی به مسعود انداخت «از بابا بخواه من که پول ندارم!»

پویا اخم‌هایش را در هم کرد. «فکر کردید من هنوز بچه‌ام. می‌دونم که بچه‌ها رو نمی‌خرند!»

مسعود لبخندی زد. «باید در موردش فکر کنیم. حتماً باید خواهر باشه؟»

پویا با جدیت سرش را تکان داد. «آره پسرها بامزه نیستن.»

شهرزاد دستش را روی موهای پویا کشید. «ولی پسر من که خیلی هم بامزه است. خیلی هم دلت بخواد.»

پویا با چشم‌هایش به دختر بچه که هنوز برایش ادا در می‌آورد

اشاره کرد. «ولی نگاه کن این دختره چه بامزه است. اگه پسر بود که این‌طوری نمی‌شد.»

مسعود نگاهی به چهره شهرزاد انداخت که انگار تغییر کرده بود. شهرزاد از حرف‌های پویا چنان به ذوق آمده بود که تمام صورتش را شادی پر کرده بود.

تا به خانه برسند شهرزاد به حرف پویا فکر کرد؛ به یک دختر بچه‌ای شاد، به صدای گریه‌هایش، به بی‌خوابی‌ها و به حال و روزی که فراموشش می‌کنی. همه زندگی‌ات، همه اوقاتت یک بچه بی‌زبان می‌شود که هر چه می‌گویی نگاهت می‌کند. جوابت را نمی‌دهد. گاهی هم با تمام وجود به حرف‌هایت می‌خندد. انگار یک بمب انرژی توی خانه آدم می‌ترکد. قربان صدقه‌اش می‌روی و از خنده ریسه می‌رود. ته دلش همان چیزی را خواست که پویا می‌خواست.

مسعود به صورت شهرزاد نگاه می‌کرد. شهرزاد دوباره جانی گرفته بود. تازه فهمید بود که شاد بودن خیلی هم سخت نیست. خیلی راحت می‌توانست با شنیدن صدای پویا خوشحال شود. با به یادآوردن خاطرات همان‌طور که غمگین می‌شد، می‌توانست خوشحال هم بشود.

شب روی تخت نشسته بود. مسعود آمد و کنارش روی تخت نشست. «خوشحالم که روحیه‌ات دوباره خوب شده.» شهرزاد برگشت و به چشم‌های مسعود نگاه کرد. محبت را می‌شد از طرز نگاه کردنش احساس کرد. لبخندی زد.

مسعود دست‌های شهرزاد را در دستش گرفت. «بچه‌ها چه

آرزوهای جالبی دارن.»

شهرزاد سرش را تکان داد. «فقط بچه‌ها نیستن.»

مسعود نگاهش را روی صورت شهرزاد چرخاند و خندید. «نمی‌خوای حالا که حالت بهتر شده به من بگی چی ناراحتت کرده بود؟»

شهرزاد دست‌هایش را از دست مسعود بیرون کشید. «بهتره ندونی.»

مسعود به جلو خم شد که کاملاً بتواند صورت شهرزاد را ببیند. «ولی ترجیح می‌دم که بدونم.»

شهرزاد انگار فکری به ذهنش رسیده بود. دوباره لبخند زد. «بهتره الان که حالم خوبه بهت نگم ولی قول می‌دم فردا بهت بگم باشه؟»

مسعود سرش را تکان داد.

چیزهایی هست که آدم را به شک می‌اندازد. احساس‌هایی که گاه به سراغ آدم می‌آید و نمی‌توان دلیلی برایش پیدا کرد. فکر می‌کند اگر گرسنه باشد و غذایی نباشد، چه طور رفتار خواهد کرد. آیا مثل حیوان به اولین سوژه حمله خواهد کرد؟ این شعور حیوانی است یا از آن هم پست‌تر؟!

شهرزاد دریافت که دیگر حال خودش را نمی‌فهمد. حتی نمی‌داند که چه احساسی دارد.

صبح که از خواب بیدار شد، مدتی را همان‌جا روی تخت دراز کشید و فکر کرد. در مغزش، در خاطراتش، لحظاتی را دوباره و دوباره مرور کرد و احساس‌هایش را دوباره تجربه کرد، نیرویی تازه، تمام

تنش را گرفته بود. از جا بلند شد. مسعود صبحانه را آماده کرده بود. شهرزاد را که دید لبخند زد. صندلی را عقب کشید تا شهرزاد بنشیند. شهرزاد با اشتهای زیاد مشغول خوردن غذا شد.

آخرین لقمه را که خورد، مسعود دستش را زیر چانه‌اش گذاشت و گفت: «منتظرم.»

شهرزاد تازه به یاد آورد که چه قولی به مسعود داده است اما حالا دیگر همان حال و احساس را نداشت. مسعود منتظر نگاهش می‌کرد. «چیز مهمی نبود. یعنی حالا دیگه نیست. نمی‌دونم شاید هم هیچ وقت نبوده و فکر می‌کردم بوده. مسعود یعنی واقعاً می‌شه دیگه از این کار صرف نظر کنی و همینجا بمونی؟»

«معلومه که می‌شه. اما فکر نکنم که مشکل این بوده! درست می‌گم؟!»

شهرزاد سرش را تکان داد.

«بگو! بهم قول دادی که بگی.»

شهرزاد دست‌هایش را گذاشت روی میز. «تو هم قول بده که از این چیزی که می‌گم ناراحت نشی و نظرت نسبت به من عوض نشه تا بهت بگم.»

«آخه چیزی رو که نمی‌دونم چطوری قول بدم.»

«اینی که می‌گم هیچ ربطی به الان نداره. الان همه چیز طور دیگه‌ایه.»

«یعنی در عرض یک روز همه چیز عوض می‌شه؟»

«قول بده دیگه!» مسعود با تعلل و من و من کردن، آخر سر قول داد

که سعی‌اش را بکند.

شهرزاد سرش را پایین انداخت تا نگاهش با نگاه مسعود تلاقی پیدا نکند. «من قبل از این که با تو ازدواج کنم کس دیگه‌ای رو دوست داشتم. پدرم یک دفعه خواست من رو شوهر بده و اون کسی که دوستش داشتم موقعیتش رو نداشت و... بالاخره با تو ازدواج کردم. توی این مدت هیچوقت دوستت نداشتم یا شاید فکر می‌کردم ندارم. اما حالا اوضاع عوض شده.»

شهرزاد سرش را بلند کرد تا عکس‌العمل مسعود را ببیند. مسعود به عقب برگشته بود. دو دستش را روی سینه قفل کرده بود و با دندان‌هایش لبش را می‌گزید. با صدای لرزانی پرسید: «چطور تونستی با کسی که ازش خوشت نمی‌آد زندگی کنی؟» شهرزاد به طرف جلو خم شد. سعی کرد دست‌های مسعود را بگیرد. مسعود خودش را عقب کشید و به یکباره از روی صندلی بلند شد. «تازه یادم اومد که یه کاری داشتم.»

از در خانه که بیرون می‌رفت، شهرزاد جلویش ایستاد. «کی برمی‌گردی؟»

مسعود که سعی می‌کرد به شهرزاد نگاه نکند، زمزمه کرد: «معلوم نیست.»

شهرزاد یخ کرده بود. «یادت باشه قول دادی!» مسعود پشت سرش آرام در را بست.

همیشه همه تجارب خوب، معنای خوب و تجارب بد معنای بد ندارند! این ما هستیم که وقایع را تعبیر می‌کنیم. و بدبختی یا خوشبختی، بدشانسی یا خوش شانسی را برای خود تعبیر می‌کنیم.

فصل نوزدهم

نسرین پذیرفت که از ابتدا شانس نداشته و همیشه خوشبختی‌اش موقتی بوده. پذیرفت که دیگر جوان نیست و کاری از دستش برنمی‌آید چراکه درمقایسه با یک دختر جوان کم می‌آورد، حتی اگر پیش از این، خیلی بهتر از آنها به نظر می‌رسید.

راه‌حل‌ها به اندازه تمام انسان‌های روی زمین است و بیشتر! دیگر نه به دیر کردن‌های فرهاد اهمیت می‌داد و نه حتی به این موضوع که چه چیز پشت این دیر کردن‌ها و خانه نیامدن‌هاست. اما این بی‌تفاوتی‌اش زیاد دوام نیاورد. یک شب فرهاد، همه چیز را اعتراف کرد. گفت که دیگر علاقه‌ای به زندگی کردن با او ندارد. گفت که کس دیگری در زندگی‌اش هست و بهتر است نسرین تا جوان است و دیر نشده پی‌کار خودش برود. نسرین گریه نکرد. حتی تعجب هم نکرد. فقط گفت که ترجیح می‌دهد در چنین وضعیتی بماند و برای بار دوم طلاق نگیرد. به فرهاد گفت که می‌داند که شانس دیگری ندارد و به خاطر بچه‌ها هم که شده، بهتر است به زندگی با او ادامه دهد. حتی اگر هیچ رابطه‌ای در بین نباشد.

اما زمان زیادی نگذشت که ته دلش خالی شد. بعضی اوقات

بی‌هدف به نقطه‌ای خیره می‌شد و زمان را مرور می‌کرد. گاهی هم حرکت ساعت را آن‌قدر دنبال می‌کرد تا زمان بگذرد. آن موقع بود که تازه یاد خودش افتاد؛ یادش افتاد که بدون کس دیگری، شخصی مستقل به حساب می‌آید. و درست به همین خاطر که هرگز خود را در تنهایی تصور نکرده بود، به بن بست رسیده بود. این بود که آن روز صبح شال و کلاه کرد و از در خانه بیرون رفت وارد آموزشگاه کامپیوتر که شد مصمم‌تر از آن بود که فکر می‌کرد. منشی آموزشگاه گوشی تلفن به دست کاغذهای روی میز را جابه‌جا می‌کرد. نگاهش به نسرین افتاد و لبخند زد. «می‌تونم کمکتون کنم؟» نسرین نزدیک میز منشی ایستاد. «می‌خوام ثبت نام کنم.»

«توی چه کلاسی؟»

«از اول همه چیزو می‌خوام یاد بگیرم.»

منشی لیست کلاس‌ها را ورق زد. «با ویندوز شروع کنید خوبه؟»

«خوبه. فقط می‌شه چند تا کلاس رو با هم بردارم یا به صورت فشرده برام کلاس بگذارید؟»

منشی نگاهش را از روی کاغذ برداشت. «عجله دارید؟»

«تقریباً.»

«پایه همه کلاس‌ها ویندوزه اگر بلد نباشید نمی‌تونید کلاس دیگه‌ای ثبت نام کنید. اما کلاس فشرده داریم. اتفاقاً از همین هفته شروع می‌شه. فقط هزینه‌اش بیشتره.»

«مسأله‌ای نیست.»

پایش را از آموزشگاه که بیرون گذاشت، ریه‌هایش را پر از هوا کرد

و بیرون داد. انگار سبک شده بود. دلش می‌خواست مثل کودکی بالا و پایین بپرد. موبایلش را در آورد و شماره شراره را گرفت. «سلام شراره... آره خیلی سرحالم... عجب نباشه... رفتم کلاس کامپیوتر ثبت نام کردم... باشه می‌یام یک‌سر پیشت.»

چند دختر جوان کمی جلوتر از او با هم حرف می‌زدند و می‌خندیدند. انگار دنیا تنها برای آنها ساخته شده بود. به زمین و زمان بی‌توجه بودند و نمی‌دانستند زمانی خواهد آمد که دختران دیگری جای آنها را می‌گیرند.

نسرین لبش را گاز گرفت. سر تا پای دخترها را برانداز کرد؛ انگار که هوویش باشند. نفسش در نمی‌آمد. سوار ماشینش که شد، سرش را به عقب تکیه داد. نمی‌دانست فرهاد را می‌خواهد یا از او متنفر است.

ماشین را روشن کرد و با سرعت به طرف خانه شراره حرکت کرد.

شراره از چهره نسرین خواند که حال و روز خوشی ندارد. نسرین خودش را در آغوش او انداخت و با صدای بلند شروع به گریه کرد. هرچه بد و بیراه در دنیا بلد بود نثار روح اموات فرهاد کرد و بعد ماجرا را تعریف کرد. چند دقیقه‌ای در سکوت گذشت. نسرین گریه می‌کرد و شراره در حالی که سر نسرین را در بغل گرفته بود، نوازشش می‌کرد. شراره در فکر بود اما بالاخره سکوت را شکست. «اصلاً نمی‌تونستم فکرش رو بکنم که فرهاد یه همچین کاری بکنه. اون اوایل که با هم آشنا شده بودید خیلی عاشق پیشه بود. چقدر برات خوشحال شده بودم که بعد از کلی بدبختی کشیدن یه زندگی آروم و خوب برای خودت فراهم کردی. نمی‌دونم چی بگم. حالا واقعاً قضیه همینه؟ نکنه با هم دعوا

کردین و فرهاد یه چیزی پرونده تا تو رو ناراحت کنه. آخه آرش از این کارا می‌کنه. گاهی برای این که حرص منو در بیاره می‌گه می‌رم سراغ اون یکی.»

نسرین با صدای گرفته گفت: «نه شراره جون برو خدا رو شکر کن که آرش مثل فرهاد نیست. هر چند من یکی شک دارم که اصلاً یه مرد درست و حسابی توی این دنیا وجود داشته باشه. دخترای این دور و زمونه رو هم که نگو. آخه چطوری یه دختر ترگل و ورگل می‌آد با یه مرد میانسال زن دار روهم می‌ریزه؟! یعنی این‌قدر بازارشون کساده که یه زن دیگه رو بدبخت می‌کنن.»

«نسرین جون یه جوری صحبت می‌کنی که انگار فرهاد یه بچه‌ی گولخورده است و همه تقصیرا گردن اون دختره است.»

نسرین سرش را از روی شانه شراره بلند کرد. «همین الان که می‌خواستم بیام خونه‌تون، چندتاشون رو دیدم. توی نظرم بود که چطوری با عشوه و ناز و چشم و ابرو دل مردای زن‌دار رو میبرن. اصلاً اگه فرهاد هم پاش بلنگه تا کسی نباشه، اتفاقی نمی‌افته.»

شراره دو دستش را گره کرد روی سینه. «اگه این‌طوری باشه که همه مردا باید برن دنبال این و اون. نخیر باید دنبال مشکل بگردی. چی شده که فرهاد هوس افتاده توی سرش.»

نسرین خودش را عقب کشید. «یعنی می‌گی تقصیر منه؟ یعنی من یه کاری کردم؟»

«نه! منظورم این نیست. اما بعید می‌دونم فرهاد بی‌تقصیر باشه.»

نسرین از جایش بلند شد. «نه دیگه حرفتو زدی. تو منو مقصر

می‌دونی. راست می‌گی تقصیر منه. منم باید عینهو این دختر قرطیا همش به فکر الواطی می‌بودم. یعنی چی دو تا بچه پشت هم، پس انداختم. فقط از شکل و قیافه افتادم. اون‌قدر گرفتار شدم که یادم رفت منم آدمم. آره شراره‌جون، تقصیر از منه. من هم الان باید برم کار دارم.»

شراره دست‌های نسرین را گرفت. «نمی‌خواد این‌طوری قهر کنی. بشین باهات حرف دارم. می‌خوام کمکت کنم. می‌خوام بفهمی که نباید به این وضعیت رضایت بدی.»

نسرین دستش را از دست‌های شراره بیرون کشید. «بهتره نفهمم. می‌خوام چکار کنم. جوون نیستم که!»

«چرا نیستی. سی و هشت سال که سنی نیست. الان آدما تازه چهل سالگی ازدواج می‌کنن. کی گفته پیری؟»

«کسی نمی‌خواد بگه! آینه که دارم. خودم رو می‌بینم. دیگه اون دختر ترگل‌و ورگل نیستم که همه توی خیابون نگاش می‌کردن. نیگا چند تا چروک افتاده روی پیشونیم. خر نیستم که.»

«اشتباهت همینه دیگه نسرین خانم. اگه از اولم حساب و کتابت رو روی سن و سال و قیافت نداشته بودی حالا این‌قدر پریشون نبودی.»

نسرین دوباره نشست. دست‌هایش را توی هم گره کرد.

«از دخترای جوون متنفرم. دلم می‌خواد سر به تنشون نباشه. هیچ جور دیگه‌ای هم نمی‌تونم فکر کنم.»

«همه یک روز پیر می‌شن. پیری هم ویژگی‌های خودش رو داره. اما تو هنوز پیر نشدی. اگر هم شده بودی آخر دنیا نبود بهترین کار همینه که کردی خودتو با کلاس سرگرم کن چیزهای جدید یاد بگیر.»

نسرین آهی کشید و سرش را تکان داد. «نمی‌دونم می‌کشم یا نه؟! اما فکر کردم لازمه.»

«معلومه که میکشی. خیلی‌ها توی این سن تازه می‌خوان برن دانشگاه. بعدشم شاید نظرت عوض شد.»

نسرین سرش را گرفت توی دستش. «از اول بختم سیاه بود. اون از علی و این هم فرهاد. شایدم تو راست بگی همه چیز رو بسته بودم به آینه. ولی موقعیتی هم پیش نیومد که کار دیگه‌ای بکنم.»

شراره دستش را انداخت دور شانه‌های نسرین. «حالا که پیش اومده تو هم که جوونی. به جای غصه خوردن یه کاری واسه خودت جورکن.»

نسرین نفس بلندی کشید. «آخه چرا هر چی بلاست باید سر من بیاد؟!» اشک‌هایش دوباره جاری شد.

شراره شانه‌های نسرین را فشار داد. «همه یه مشکلی دارن. تو که از زندگی همه خبر نداری.»

«نمی‌تونم ولش کنم. شایدم به درد این دنیا نمی‌خورم. خیلی‌ها به درد دنیا نمی‌خورن و نباشن بهتره!»

«اگر منظورت آدم‌های بده که تو جزءشون نیستی و باز هم باید بگم اون‌ها هم حتماً به درد دنیا می‌خوردن. شاید اگر راهشون رو گم نمی‌کردن دنیا جای بهتری بود با وجودشون.»

نسرین تکیه داد به مبل و پاهایش را دراز کرد.

بپذیریم که تفاوت‌هایمان عیب نیست. دنیایی که همه یک شکل و اندازه باشند، دنیای جذابی نیست. این تفاوت‌هاست که زیبایمان می‌کند.

فصل بیستم

چند روزی گلچهره و حمید دیگر اشاره‌ای به موضوع نکردند. گاه حمید گوشه‌ای کز می‌کرد. چند باری گلچهره خواست تصمیمش را عوض کند. به ادامه تحصیلش فکر کرد و این که شاید هیچ وقت آن کسی که حمید بخواهد نشود، هر چند هر دو خیلی هم تلاش کنند. اما چرا باید دو نفر آنچه باشند که نیستند تا مورد قبول هم قرار بگیرند. فکر کرد حتماً حمید بعد از او زندگی بهتری خواهد داشت.

گلچهره داخل کافی‌شاپ نشسته بود. همان جایی که بار اول با هم غذا خورده بودند. حمید قرار بود که مرخصی بگیرد و سر قرار بیاید.

گلچهره داشت با لبه کیفش بازی می‌کرد. صاحب کافی‌شاپ کم‌کم کلافه نگاهش می‌کرد، که حمید از در وارد شد. گلچهره نفسی کشید. آرامش تمام وجودش را گرفت. حمید چقدر خوش‌قیافه بود. انگار تازه فهمیده باشد، دلش لرزید. انگشترش را چند بار با انگشت چرخاند. حمید جلویش نشست. انگار خاطره چند ساله‌اش زنده شده بود. حمید به طرفش خم شد. «ببخشید دیر کردم.»

گلچهره لبخندی زد. «اگه یه کم دیرتر اومده بودی این آقاهه یک چیزی بهم می‌گفت.» حمید دوباره لبخندی زد. «انگار همین دیروز بود

اومده بودیم با هم این جا. خسته بودیم، یادته مهبد کلی سرمون غر زد که چرا متن رو حفظ نیستیم و کلی ازمون کار کشید.»

گلچهره سرش را تکان داد. «یادمه بعد از تمرین در حالی که اخـم کرده بودی گفتی می‌آی بریم کافی‌شاپ. منم نتونستم بگم نه!»

«می‌خواستی بگی نه؟»

«راستش باید می‌رفتم استخر یعنی بلیت داشتم.»

«هیچ وقت نگفتی!»

گلچهره لبخند زد.

لبخند از روی لب حمید، محو شده بود. «یعنی هیچ وقت دوستم نداشتی؟»

گلچهره با صدای ضعیفی خندید. «من این رو گفتم؟»

حمید دست‌هایش را گذاشت روی میز و بـه دست‌هـای گـلچهره نزدیک کرد. همان موقع بود که پیشخدمت به میزشان نزدیک شد. «چی میل دارید؟»

گلچهره دست‌هایش را عقب کشید و لیست را جلویش گرفت. «کاپوچینو.» بعد نگاهش را بـه حـمید دوخت. حـمید گـفت: «دوتـا کاپوچینو.» پیشخدمت سری تکان داد و دور شد.

گلچهره همان‌طور به حمید خیره ماند. «نمی‌خوای عوض بشی؟ همیشه هر چی من می‌خوام تو هم می‌خوای؟!»

حـمید روی دست‌هـایش تکیه داد. «اولاً کـه بـه خـاطر ایـن کـه نمی‌خوایم عوض بشیم کارمون به این جا کشیده. دوماً کی گفته هر چی تو می‌خوای منم می‌خوام؟!»

گلچهره سرش را تکان داد.

حمید به صندلی تکیه داد و سرش را چرخاند. «خیلی عوض شده. اون موقع خیلی ساده‌تر بود.»

گلچهره دست‌هایش را روی سینه گره کرد. «خوبه که هنوز سر جاشه. هر وقت یه جایی که از قبل ازش خاطره داشتم می‌رم و می‌بینم سرجاش نیست، خیلی دلم می‌گیره. تازه می‌فهمم که گذر زمان یعنی چی!»

حمید دوباره خودش را روی میز خم کرد. «امان از جاهایی که ازش خاطره داری و خودت هستی و همراهت نیست. اون موقع دیگه خیلی دل آدم می‌گیره.»

گلچهره چهره‌اش در هم رفت. انگار داشت به خاطره‌ها فکر می‌کرد. زمزمه کرد: «به خاطره‌های جدید فکر کن. نباید همش توی گذشته زندگی کنیم.»

«آدم به یه سنی که می‌رسه، انگار خاطراتش خیلی پر رنگ نمی‌شه. دیگه خاطره‌ها اون‌قدر رنگی و موندگار نیستند.»

گلچهره تکانی به خودش داد. «خوبه که هنوز با هم دوستیم نه؟!»

حمید به ساعتش نگاه کرد. «یعنی چقدر این دوستی دووم می‌آره؟ نمی‌دونم بتونم از پسش بر بیام.» بعد سرش را بلند کرد و به چشم‌های گلچهره چشم دوخت. «می‌شه از اول شروع کنیم. فکر کن همه چی تازه شروع شده. یه فرصت دیگه بهم بده. می‌شه؟!»

گلچهره سرش را تکانی داد. «نمی‌دونم. من هم نمی‌دونم. اما فکرش رو بکن؛ دوباره باید این درد و رنج‌ها رو تحمل کنیم. اگه دوباره کارمون به این جا بکشه، ممکنه دیگه با این حال از هم جدا نشیم.

ممکنه کارمون به جاهای باریک بکشه و با خاطره بد از هم جداشیم. خدا رو چه دیدی شاید همین فردا یه زن خوب پیدا کردی.»

حمید سرش را پایین انداخت. کاپوچینو که تمام شد، حمید نگاهی به ساعتش انداخت. «فکر کنم دیگه باید بریم.»

قدم‌هایشان را سنگین تا دم دادگاه برداشتند. هر دو ساکت بودند. به آینده نامعلوم خود فکر می‌کردند. به چیزهایی که به دست می‌آوردند و به چیزهایی که از دست می‌دادند. خود را به جلو می‌راندند.

همه چیز خیلی سریع پیش رفت. چند برگه را امضاء کردند؛ چند سؤال و جواب ساده. کار که تمام شد، تنها شناسنامه‌هایشان بود که هنوز اسم‌های اضافی را حمل می‌کرد. از در ساختمان بیرون آمدند. گلچهره شب قبل وسایلش را به خانه جدیدی که رهن کرده بود برده بود. چند دقیقه‌ای روبه‌روی هم ایستادند. حمید به انگشترش که هنوز در انگشتش بود نگاهی انداخت. گلچهره با بغض گفت: «نگهش داریم؟!» حمید با بغض سرش را تکان دارد. «یادگاری.» بعد سرش را بلند کرد. «چیزی لازم نداری؟» گلچهره سرش را پایین انداخت. «من باید ازت بپرسم. همه وسایل رو بردم و حالا خونه خالیه.» حمید که انگار تازه یاد این موضوع افتاده بود، گفت: «پس باید برم خرید. حسابی سرم گرم می‌شه.»

گلچهره لبخند زد. «مواظب خودت باش.»

«تو هم. اگه یه موقع به چیزی احتیاج پیدا کردی بهم خبر بده باشه؟»

«حتماً.»

حمید قهقهه زد. «خیلی مسخره است.»

«چی؟»

«اصلاً باورم نمی‌شه به همین آسونی، تو دیگه امشب خونه نمی‌آی! برم خونه، خونه خالیه به جز چند تا خرت‌وپرت. یعنی به همین سادگی؟! یعنی آدم به همین سادگی همه چیز رو از دست می‌ده! اصلاً نمی‌فهمم.»

گلچهره انگشترش را در دستش چرخاند. «خداحافظ.»

حمید همان‌طور که زمین را نگاه می‌کرد با صدای لرزانی گفت: «خداحافظ.» گلچهره چرخید.

حمید همان‌جا ایستاد و دور شدن گلچهره را تا آخر تماشا کرد.

ته دل گلچهره خالی شده بود. پاهایش درد گرفت و فهمید بدون آن که متوجه باشد مسافت زیادی را راه رفته است. سوز بادی، گونه‌هایش را سرخ کرده بود. آدم‌های سیاه و سفید از کنارش عبور می‌کردند. به دور و برش نگاه کرد. هیچ‌کس نمی‌دانست که چه اتفاقی افتاده است. میان آدم‌ها تنها بود.

حرفهایی داشت که کسی نشنیده بود. دلش خواست فریاد بزند. چهره حمید از جلو چشم‌هایش کنار نمی‌رفت. می‌دانست تا مدت‌ها تصویرش پاک نمی‌شود. از عرض خیابان گذشت. نام مسیر جدید خانه‌اش را بلند گفت. تاکسی جلوی پاهایش توقف کرد. پاهای سست و لرزانش را داخل ماشین گذاشت. به یاد آورد که تمام بار زندگی را از این لحظه باید به تنهایی بر دوش بکشد. دست‌های یخ کرده‌اش را روی سینه جمع کرد. همان‌طور که به بیرون چشم دوخته بود، اولین برف زمستان شروع به باریدن گرفت.

گاه اتفاقات آن‌قدر سریع پشت هم ردیف می‌شوند که حتی زمان شروع آن را هم از خاطر می‌بریم. انگار زمان متوقف شده است. همه چیز در یک لحظه اتفاق می‌افتد. با این حال گویی سال‌هاست که از شروع آن گذشته است و هرگز نمی‌توانی حتی در ذهنت تصور کنی که در چنین مدت کوتاهی، چنان حجم عظیمی از اتفاقات زندگی‌ات را تغییر داده است. آن‌قدر که از درک واقعیت عاجز می‌شوی. یادت می‌رود که این اتفاق یک بار در زندگی آدم می‌افتد. فراموش که کردی و به سادگی از کنار مهم‌ترین اتفاق زندگی‌ات گذشتی، آن وقت جای خالی‌اش را در قلبت احساس می‌کنی و در پی تکرار کردن آن برمی‌آیی. می‌اندیشی که با بازسازی لحظه‌ها، آن اتفاق دوباره زندگی‌ات را نورانی می‌کند و در این فریب، زندگی می‌کنی. اما آن خاطره‌ها هرگز تکرار نمی‌شوند و خاطره بر جای می‌ماند.

فصل بیست و یکم

پریناز به آغاز فکر کرد. حالا که در کنار نوید در راهروهای موزه قدم برمی‌داشت، فکر کرد چه زمانی این اتفاقات شروع شده است. نوید در مقابل هر تابلو لحظه‌ای می‌ایستاد. سرش را تکان می‌داد، گاه با تحسین و گاه با تأسف.به یکی از تابلوهای بزرگ که منظره جنگلی بود، رسیدند. نوید پرسید: «نظرتون در مورد این جور تابلوها چیه؟»

پریناز همان‌طور که چشم‌هایش را می‌چرخاند گفت: «هنوز هم تقلید از طبیعت در نوع هنرمندانه‌اش جالبه، خصوصاً به این شیوه که معلومه نقاش در خود این منظره حضور داشته و لذت نسیم ملایم باد و صدای تکون‌خوردن برگ‌ها رو احساس می‌کرده. من عاشق این ضربه‌های قلموام؛ درست مثل موسیقی کلاسیک که اگر قوانین و ریتم‌هایش به همون زیبایی دنبال بشه هنوز بهترین و برترین موسیقی محسوب می‌شه و هیچ نوع از موسیقی نتونسته جای اونو بگیره.»

حرف‌های پریناز که تمام شد، نوید به صندلی‌های وسط سالن اشاره کرد. «یک دقیقه می‌شینید؟»

پریناز در آن لحظه، کامران دوست ستاره را دید که با دختری مشغول دیدن تابلوها بود. دندان‌هایش را به هم فشرد و به طرف

صندلی‌ها چرخید و نشست.

آرام خودش را روی صندلی جابه‌جا کرد. نوید زاویه‌دار روی صندلی نشست. دست‌هایش را به هم قلاب کرد و در حالی که به چرخش انگشتان دستانش نگاه می‌کرد گفت: «به نظرتون تقلیدهای سنتی تا چه حد خوبه؟»

پریناز نیم‌نگاهی به کامران انداخت که سرش را به دختر نزدیک کرده بود و زمزمه می‌کرد. «تقلید فقط برای یادگیری خوبه. بیشتر از اون نه!»

نوید همان‌طور که سرش پایین بود پرسید: «نظرتون درباره ازدواج چیه؟»

پریناز نیم خیز شد سرش را به طرف نوید چرخاند.

نوید سرش را بالا آورد و پرسش‌گرانه به پریناز چشم دوخت. پریناز چشم‌هایش را روی کفش‌هایش ثابت نگه داشت. «نظر خاصی ندارم.»

نوید برگشت و به صندلی تکیه داد. «لابد فکر می‌کنید خیلی ناگهانی این مسأله رو مطرح کردم؟»

پریناز سرش را تکان داد.

«شاید هم خیلی رمانتیک نبودم؟!»

پریناز احساس گرما کرد. از جایش بلند شد. به طرف راهرو اشاره کرد. «می‌تونیم راه بریم؟»

نوید از جایش بلند شد. دست‌هایش را در جیب‌هایش فرو برد. «چطور ترجیح می‌دید؟ رسمی یا غیر رسمی؟»

پریناز بند کیفش را روی شانه‌هایش جابه‌جا کرد. «فکر نمی‌کنید کمی زوده؟»

نوید نگاهی به ساعتش انداخت. «فکر کنم یه کمی هم دیر شده!»

«منظورم زمان آشنایی مونه!»

«مگه شما از اون دسته آدم‌هایی هستید که با کسی آشنا بشید و ارتباط طولانی داشته باشید؟»

پریناز سرش را تکان داد. «منظورم این نبود.»

نوید سر جایش ایستاد. «نکنه هنوز هم از من بدتون می‌آد؟ یا چقدر احمقم. اصلاً از من خوشتون نمی‌آد.»

پریناز به صورت نوید نگاه کرد. «به چه دلیلی می‌خواین با من ازدواج کنید؟»

نوید دست‌هایش را توی سینه جمع کرد. «انتظار ندارید که یک مشت مزخرفات تحویلتون بدم؟»

پریناز بیشتر گرمش شد. گونه‌هایش به طرز واضحی سرخ شد. «اما شما هیچی از زندگی خصوصی من نمی‌دونید.»

نوید لبخندی زد. «فکر کنم مسائل خصوصی شما، بعد از ازدواج به من مربوط می‌شه.»

دوباره شروع به قدم زدن کردند. پریناز صمیمی‌تر شد. «شما اولین کسی نیستید که من باهاش بیرون اومدم.»

«انتظارش رو هم نداشتم.»

پریناز نفس بلندی کشید.

نوید گفت: «جواب من چی شد؟»

«سؤالی نشنیدم.»

نوید جلوی پریناز ایستاد. «حاضرید با من ازدواج کنید؟»

پریناز در حالی که چشم‌هایش نمناک شده بود گفت: «می‌تونم باهاتون صادق باشم؟»

نوید منتظر به پریناز نگاه کرد.

قطره اشکی از گوشه چشم‌های پریناز سرازیر شد روی گونه‌اش. «نمی‌دونم چی جوابتون بدم. حقیقتش خاطره‌هام توی جوابم مؤثرن.»

«چه جور خاطره‌هایی؟»

پریناز سرش را تکان داد. «گفتم که شما اولین نفر نیستید. اون موقع من خیلی کم سن و سال بودم. راستش رو بخواین اون شخص رو هم دوست داشتم. وقتی از من درخواست ازدواج کرد اون‌قدر راحت بهش جواب مثبت دادم که باورتون نمی‌شه. اونم همین‌طور جلو من قرار گرفته بود و منتظر شنیدن صدای من بود. من بهش جواب مثبت دادم و اون هم به همون سادگی، به همون سادگیِ جوابِ من یک روز به من گفت کاش موقعی که ازت درخواست ازدواج کرده بودم گفته بودی باید فکر کنم.»

نوید سرش را پایین انداخت. «و هنوز هم اون شخص رو دوست دارید؟»

پریناز دست‌هایش را محکم در هم پیچید. «موضوع این نیست. موضوع اینه که می‌خوام بدونم شما از روی هیجان شنیدن جواب من این سؤال رو می‌کنید یا واقعاً چنین منظوری دارید؟»

نوید دوباره سرش را بالا آورد. چشم‌هایش می‌درخشید. «معلومه

که هیجان دارم. اما فکر نکنم بچه باشم و از روی خوشی آنی بخوام شما رو آزار بدم. می‌دونم که داشتن چنین خاطره‌ای چقدر سخت و دردآوره، اما کسی که امروز روبه‌روتون قرار گرفته با تمام وجودش می‌خواد که تمام ساعت‌های زندگیش رو....»

پریناز نگذاشت که نوید حرفش را تمام کند. «پس من هم موافقم.»

لبخندی روی لب‌های هر دو نشست. آرام و قدم‌زنان بقیه راهروها را تا آخر طی کردند. نوید دست‌هایش را به هم قلاب کرد. «یعنی منو هم... مثل اون... یعنی...» نتوانست ادامه دهد. پریناز لبخند زد. نوید نفس بلندی کشید. از در موزه که بیرون آمدند، همه جا سفید شده بود و دانه‌های ریز برف به شدت می‌بارید. روی برف‌ها شروع به قدم زدن کردند.

نوید برگشت و به جای پاهایشان که روی برف باقی‌مانده بود نگاه کرد. «ببین گذشته رو روی برف‌ها ثبت کردیم.»

بوجود آمده‌ای که رشد کنی. روحت را صیقل دهی. نیک ببینی، بشنوی، بیندیشی. نیک عمل کنی.

تشنه‌ای. روحت در زنجیر است. اگر بی‌توجه بمانی، به بیراهه می‌رود. به هر جا سر می‌کشد تا سیراب شود.

تربیتش کن قبل از آن‌که تو را پایین کشد.

فصل بیست و دوم

باغچه‌ها سفید بود. برف‌های پیاده رو و خیابان از عبور مردم و ماشین‌ها آب شده بود. پریناز کوله پشتی‌اش را روی شانه‌اش جابه‌جا کرد. نغمه چند متر جلوتر از او بارانی صورتی چرکی بر تن کرده بود. پریناز چند قدم را سریع برداشت. در حالی که سرش را نزدیک نغمه می‌برد گفت: «زود اومدم؟»

نغمه که جا خورده بود، سرش را چرخاند. «سلام. آره زود اومدی.» لبخندی روی لبش نشست.

پریناز کنار نغمه قرار گرفت. «دیشبم نخوابیدم. داشتم یک فیلمنامه می‌نوشتم.»

نغمه سرش را تکان داد. «اما من چند شبه که راحت و خوب می‌خوابم.»

پریناز نگاهی به برف‌های توی باغچه کرد. «دیگه فصل سیاه و سفید و خاکستری اومد.»

نغمه با دست به درختی اشاره کرد. «نگاه کن! هنوز هم امیدی هست. هنوز چند تا برگ روی درخت‌ها مونده.»

پریناز سری تکان داد. «از کجا می‌دونی که نقاشی نیست؟ شاید یکی

برای امید ما اینارو این جا کشیده.»

«همه چی نقاشیه. نقاششم بلده کجا و چطوری امید رو نقاشی کنه؛ برای کسایی که ناامید نمی‌شن.»

پریناز دوتا دستش را بهم سائید. «فلسفی‌اش نکن. مگه تو منتظر چیزی هستی؟»

نغمه لبش را روی هم فشار داد. «ای همچین.»

پریناز نگاهش را روی باغچه و درخت‌ها چرخاند. نغمه ادامه داد. «می‌خوام برای ادامه تحصیل از ایران برم.»

پریناز چشم‌هایش گشاد شد. من و من کنان گفت: «پس... نامزدت چی؟»

نغمه با صدای لرزانی جواب داد: «باهاش بهم زدم.»

هر دو ساکت شدند. لب‌های پریناز کمی از هم باز شد.

نغمه نیم‌نگاهی به پریناز انداخت. «خوشحال شدی؟»

«خوشحال برای چی؟»

«دیگه حالا حالاها نمی‌ذارم کسی برام تصمیم بگیره.»

پریناز دست‌هایش را روی شانه‌های نغمه گذاشت. «هیچ وقت نگذار.»

دم در باشگاه رسیدند. پریناز برگشت و رو در روی نغمه ایستاد. «دیگه قصد نداری ازدواج کنی؟» نغمه سرش را پایین انداخت و دست‌هایش را در هم قفل کرد. «فعلاً که نه! می‌خوام ادامه تحصیل...»

وارد سالن شدند.

شهرزاد و نسرین کنار گلچهره ایستاده بودند. نغمه و پریناز به

طرفشان رفتند. گلچهره لبخند زد. «سلام.» نغمه نگاهش را روی نسرین و شهرزاد چرخاند و روی گلچهره متوقف شد. «چیزی شده؟»

بعد بدون آن که منتظر جواب شود رو به نسرین کرد. «خوش اومدی. وای نگاه کن چقدر کوچولو شدی.» نسرین لبخند زد. «عمل جراحی و کار مضاعف.»

گلچهره گفت: «منم دیگه دارم از پیشتون می رم.»

نغمه دوباره سر چرخاند و به صورت گلچهره خیره شد.« کجا؟»

«خونه‌ام عوض شده.»

«خیلی دور شدی؟»

«خیلی که نه. اما واسه باشگاه اومدن خیلی دوره.»

نغمه ابروهایش در هم رفت. «چرا؟»

گلچهره چیزی نگفت.

نغمه گفت: «منم دارم می رم.»

شهرزاد نفس عمیقی کشید. «هممون رفتنی هستیم.»

مربی دست‌هایش را محکم به هم کوبید. «یالّا حاضر شید که شروع کنیم.»

پریناز و نغمه به طرف رخت‌کن رفتند. ناتاشا در حالی که ابروهایش را بالا انداخته و لبش را غنچه کرده بود نزدیک شد. «به‌به! گل می‌گین و گل می‌شنوین.» بعد در حالی که چشم‌هایش را خمار می‌کرد، نگاهی به پریناز کرد و به نغمه چشمکی زد.

نغمه گفت: «خوب معلومه گل هستیم و گل می‌گیم.»

ناتاشا دهانش را کج کرد. «واه‌واه چه زبونی در آورده با بعضیا گشته.»

بعد راهش را کج کرد و دور شد.

پریناز بی‌توجه به آمد و رفت ناتاشا گفت: «تو هم بری، جات خالی می‌شه!»

نغمه سرش را به طرف پریناز چرخاند. «جدی؟»

«اوهوم.»

«فکر می‌کردم از من خوشت نمی‌آد.»

«چه فکرایی می‌کنی! چرا باید خوشم نیاد؟»

نغمه شانه‌هایش را بالا انداخت. لباس‌هایش را توی کمد گذاشت.

مربی دوباره دست‌هایش را به هم کوبید. «بدو بدو!»

نسرین در حالی که چشم‌هایش را روی دخترهای جوان می‌چرخاند گفت: «انگار دنیارو تسخیر کردن.»

شهرزاد چشم‌هایش را تنگ کرد. «چی؟ کیا؟»

«این دخترای تازه بالغ و تازه به دوران رسیده.»

«یه جوری می‌گی انگار پیر شدی!»

نسرین سرعتش را کم کرد. شهرزاد هم همین‌طور. «چیزی شده؟»

«یه کم شکمم درد گرفت. نباید زیاد به خودم فشار بیارم.»

«اصلاً چرا اومدی؟ هنوز باید استراحت کنی.»

«دیگه اعصاب خونه موندن رو نداشتم.» بعد در چشم‌هایش اشک جمع شد. شهرزاد دستش را دور شانه نسرین انداخت و به گوشه‌ای هدایتش کرد. «چیزی شده؟» نسرین هق‌هق کنان گفت: «نه! هیچی.» و صدای نفس‌هایش بلندتر شد. مربی به آن دو نزدیک شد. «چی شده؟ حالت بده نسرین؟»

شهرزاد سر نسرین را نوازش می‌کرد. «جای عملش درد گرفته.» مربی لبخندی زد. «بکُشم و خوشگلم کن.» چرخی زد و از آن دو فاصله گرفت. نسرین به حرف آمد. «فرهاد می‌خواد زن دوم بگیره.» چشم‌های شهرزاد گشاد شد. «چی؟»

«از همین دخترای امروزی.» دستش را به طرف چند دختر جوان که تازه‌وارد بودند، گرفت. چشم‌هایش را جمع کرد. یکی از دخترها برایش آشنا بود. یاد دختر خودش افتاد. حالا باید همین سن و سال را داشته باشد. دلش لرزید. شهرزاد دستش را روی دست نسرین گذاشت. «هممون یه روز جوون بودیم....»

ورزش تمام شد.

پریناز کوله‌اش را بست و به دنبال نغمه که از در کلاس خارج می‌شد، بیرون دوید. «صبر کن با هم بریم.»

نغمه برگشت. «باشه.» ماشینی ترمز کرد. پریناز دست نغمه را کشید. «بیا پیمان اومده دنبالمون.» نغمه که غافلگیر شده بود، در حالی که کلاه پشمی روی سرش را محکم چسبیده بود، دنبال پریناز سوار ماشین شد.

تلفن همراه پریناز زنگ زد. پیمان خودش را روی صندلی جابه‌جا کرد. «سلام.» نغمه سرش را پایین انداخت. «سلام. ببخشید که دوباره مزاحم شما شدم.»

«این چه حرفیه.»

پریناز تلفنش را از توی کوله بیرون کشید. «سلام... چه خبر؟... چرا دیروز توی موزه هنرهای معاصر دیدمش... آره مطمئنم... با یه دختره

از ورودی‌های امسال... نه مطمئنم... می‌خوای بیا از خود دختره بپرس... من نمی‌دونم... باشه پس تا بعد... .»

تلفن را گذاشت توی کوله‌اش. پیمان از توی آینه نگاهی به نغمه انداخت و از پریناز پرسید: «چی شده؟»

«هیچی ستاره با یکی از پسرهای دانشگاهمون دوست شده. دیروز پسره رو با یه دختر دیدم. ستاره می‌گه اشتباه می‌کنم کامران رفته بوده بیمارستان ملاقات خواهرش.» پیمان لبش را گاز گرفت و دوباره نگاهی توی آینه انداخت. پریناز برگشت. «نغمه! برادر منم داره میره کانادا برای ادامه تحصیل، پیش خواهرم.» نغمه لبخندی زد. «چه خوب!» پیمان سرش را چرخاند و به آینه بغل نگاه کرد. ماشین که پیچید گلچهره را دیدند. «پیمان نگه دار.»

پریناز گلچهره را صدا زد. گلچهره کنار پنجره آمد سلامی به پیمان کرد.

پریناز گفت: «ماشین نداری که باز!»

«فروختمش.»

«سوار شو برسونمت.»

«نه، مسیرم به شما نمی‌خوره.»

«تا یه جایی می‌بریمت.»

گلچهره سرش را تکان داد. «می‌خوام یه ذره قدم بزنم.»

نغمه چشم‌هایش را تنگ کرد. «تو رو خدا بازم بیا این جا بهمون سر بزن.»

گلچهره لبخند زد. «حتماً قبل از رفتنم یه مهمونی می‌گیرم.»

ماشین که دور شد، چند لحظه‌ای گلچهره سرجایش ایستاد. بعد از خیابان گذشت. شهرزاد داشت وارد کوچه می‌شد. صدایش زد. «چرا این قدر گرفته‌ای؟»

شهرزاد سرش را بلند کرد و چشم‌هایش را باز و بسته کرد. «هیچی زندگیه دیگه، بالاخره ممکنه حال و هواش زمستونی بشه.»

گلچهره گفت: «خیلی عجیبه با این که همیشه آرزوم بوده اما حالا خودم هم نمی‌دونم دارم چکار می‌کنم. گیجم. نمی‌دونم طاقت دوری رو دارم؟!»

«دل کندن از چیزها و کسایی که آدم ازش خاطره داره مثل جون دادن می‌مونه! حتی اگه قبلش دوستشون نداشته باشی.»

گلچهره سرش را پایین انداخت. شهرزاد با چشم‌هایش به روبه‌رو اشاره کرد. «اون حمید نیست؟»

گلچهره سرش را بلند کرد. رد نگاه شهرزاد را گرفت. برگشت. حمید توی ماشینش نشسته بود و نگاهش می‌کرد. گلچهره نگاهی به شهرزاد و نگاهی به حمید انداخت. «خداحافظ.»

شهرزاد گفت: «بهمون سر بزن.» گلچهره نشنید و دور شد.

شهرزاد پیچید داخل کوچه. الهام دم در منتظرش ایستاده بود. «سورپرایز!»

«این جا چکار می‌کنی؟ مگه نمی‌دونستی کلاس دارم.» الهام سرش را تکان داد. دست‌هایش را که پشتش قایم کرده بود، جلو آورد. تو یه دستش یک دسته گل و یک کادو بود. «تولدت مبارک!» شهرزاد گل را گرفت و بوئید. «باورت می‌شه؟ یادم رفته بود تولدمه.»

«به این زودی آلزایمر گرفتی؟» پله‌ها را دو تا یکی بالا رفتند.

شهرزاد گفت: «من یه دوش می‌گیرم که از بوی عرقم خفه نشی.»

«حالا عرق چی هست؟»

«لوس نشو الهام.»

«مسعود کی می‌آد؟»

«نمی‌دونم. همیشه واسه تولدم غافلگیرم می‌کرد.»

«شاید نیاد تا غافلگیرتر شی.» شهرزاد همان‌طور که لباس‌هایش را توی حمام در می‌آورد گفت. «چه خبر؟»

«اووه کلی خبر دارم. بالاخره مرجان داره ازدواج می‌کنه.»

شهرزاد سرش را از حمام آورد بیرون.

«با کی؟» «با همون پسره دیگه. البته دیگه پسر که نه ۳۷ سالشه، اما بالاخره اومد خواستگاریش.»

شهرزاد آب را باز کرد و سریع دوش گرفت. حوله را پیچید دورش. «خوب؟»

«دیشب کارت عروسیشون رو آوردن. خیلی خوشگله همرام آوردم.» دست کرد داخل کیفش. شهرزاد مشغول پوشیدن لباس‌هایش شد. از لای در نگاهی به کارتی که الهام از کیفش در می‌آورد انداخت. «الان می‌آم می‌بینمش.» پرسید: «اسم پسره چیه؟»

«اسمش... .» شهرزاد کارت را از دست الهام گرفت. «خوشگله.» کارت را باز کرد. «پویان»

نشست روی صندلی. الهام خم شد به طرف شهرزاد. «چیزی شده؟»

«یه کم سرم گیج رفت.»

«لابد صبحانه هم نخوردی.»

شهرزاد نشنید. «نگفت چرا تا حالا این دست و اون دست می‌کرده؟»

«کی؟»

«پسره رو می‌گم.»

«آهان شوهرِ آینده مرجان؟»

شهرزاد سرش را تکان داد.

«نه! گفته موقعیتش رو نداشته.»

«اونوقت این همه سال با هم بودن؟»

«آره خیلی وقته! همش با هم بودن. یک روز قهر یک روز آشتی. اما هر روز با هم می‌رفتن بیرون. دیگه وقتش بود.»

«مگه تو نگفتی که مرجان زیادی رو داده بهش.»

«خوب آره. نمی‌دونم شاید اگه این‌قدر رو نمی‌داد زودتر به جایی می‌رسیدند. حالا که بالاخره همه چی به خوبی و خوشی تموم شد.»

شهرزاد سرش را تکان داد. «تازه شروع شده.»

الهام از داخل یخچال شیر و کره و پنیر درآورد و گذاشت روی میز. «آره خوب یه جورایی اولشه اما آخر یه ماجرای پر پیچ‌وخم هم هست. فکرش رو بکن شاهزاده بره بالای سر زیبای خفته. هی بشینه فکر کنه حالا بیدارش کنم یا نه. بعد که بالاخره شاهزاده تصمیمش رو می‌گیره و زیبای خفته رو بیدار می‌کنه، زیبای خفته بلند می‌شه می‌گه احمق کی گفت بیدارم کنی داشتم خواب پادشاه هفتم رو می‌دیدم.»

شهرزاد سرش را گرفت توی دستش. «از توی در یخچال یه

استامینوفن بهم می‌دی؟» الهام دست کرد و استامینوفن را درآورد و گذاشت جلو شهرزاد. «صبحانه بخور سرت خوب می‌شه. مسعود کی رفت؟ مگه تازه نیومده بود؟»

شهرزاد نشنید و به کارتی که در دست الهام بود اشاره کرد. «عروسی کی هست؟»

الهام شانه‌هایش را بالا انداخت. «همین جمعه.»

آذرماه سال ۱۳۸۹

اژدها کشان/ یوسف علیخانی
قدم‌بخیر مادربزرگ من بود/ یوسف علیخانی
از خواب می‌ترسیم/ هادی خورشاهیان
به چیزی دست نزن/ لیلا عباسعلیزاده
کلاژ/ احسان عباسلو
واهمه‌های سرخابی/ احسان عباسلو
زیبای هلیل/ منصور علیمرادی
کُتِ زوک/ مهدی محبی کرمانی
آل/ مهدی محبی کرمانی
رک و پوست‌کنده/ آسیه جوادی (ناستین)
تمشک‌های نارس/ آسیه جوادی (ناستین)
هتل مامان/ الفریده هامرل/ حمیدرضا محبی
آقاپری/ جمیله مُزدْسِتان
روایت‌های من/ حسین شکربیگی

ایرانشناسی

چند صد نام دریای خزر/ عبدالرحمان عمادی
لامداد (چند جُستار از ایران) عبدالرحمان عمادی
آسمانکت (چند رسم مردمی) عبدالرحمان عمادی
خوزستان (در نام‌واژه‌های آن) عبدالرحمان عمادی
حمزه آذرک و هارون‌الرشید (در آیینه دو نامه) عبدالرحمان عمادی
دوازده گل بهاری (نگاهی به ادبیات دیلمی و طبری) عبدالرحمان عمادی
نَظَرکرده (آیین‌ها و باورهای امامزاده‌های رودبارالموت غربی) فرشته بهرامی

کتاب‌های دیگر

کتاب نیست (مجموعه شعر) علیرضا روشن
ساعت کلاغ (مجموعه شعر) حمید نیک‌نفس
از شب دست کشیدم (مجموعه شعر) سارا افضلی
خوشمزه‌ترین میوه درخت (کاریکلماتور) محمدعلی آزادیخواه
پنج زبان عشق/گری چپمن/ حمیده جاهد
معمایی برای یک جنایت/ محمدمهدی نحوی‌فرد
کلیدهای طلایی موفقیت/ برایان وینترز/ پرستو عوض‌زاده
رازهای نقره‌ای موفقیت/کوین سینکلر/ پرستو عوض‌زاده
شادی را به فرزند خود هدیه کنید/ بتی راد/ آرتمیس مسعودی
معجونِ عشق (گفت‌وگو با ر.اعتمادی، فهیمه رحیمی و...) یوسف علیخانی
در جستجوی خوشبختی/ بیل برایسون/ علی ایثاری کسمایی
زن، غذا، خدا/ جنین راس/ آراز ایلخچویی
کلید اسرار زندگی (گردآوری) محسن تیموری
از زبان بزرگان (گردآوری) محسن تیموری
کاغذ (تألیف) سیامک محی‌الدین بناب
قدرت/ روندا برن/ ایرنّا محی‌الدین بناب
خدا محبت است (گردآوری و تحقیق) فریده برنگی